JN094347

アメリカ争乱に動揺しながらも中国の世界支配は進む

副島隆彦
Soejima Takahiko

ビジネス社

アメリカ争乱に動揺しながらも
中国の世界支配は進む

まえがき

本書のタイトルにあるとおり、今回の大統領選挙がアメリカ争乱の始まりとなった。私が予測（予言）しているよりも、世界覇権国（はけんこく）アメリカの衰退（フォールダウン fall down）は急激に進んでいる。アメリカ国内の考えが大きく割れてしまって、国家として分裂に向かっている。

この件については、私はすでに1冊、２０１９年に本を書いた。タイトルは『国家分裂するアメリカ政治 七顚八倒（てん）』（秀和システム刊）である。私がこの本で予言したことが当たりそうだ。

アメリカ帝国がその本拠地、本丸である首都ワシントンで大揺れに揺れている。アメリカの国家分裂が起こるならば、その世界覇権力も必然的に弱まっていく。

このため、日本国民の多くも「アメリカが日本を守ってくれる力が衰える」と不安に思い出す段階に来た。さらには「トランプ大統領は在韓米軍の撤退どころか、日本からの駐留米軍の撤退も始めるのではないか」という論調になっていくであろう。その時、日本国がどういう態度をとるかである。

どうも大きくはトランプ、プーチン、習近平の3人を、さらに上から操る奇妙な支配構造が、この地球上に存在するようである。その正体はなかなか捉えられない。単なる世界政治の駆け引きや勢力間の争いなど、政治学者が書く論文のようなものではない。もっと奥の深いところに、何かありそうである。今のところ、私にもこれ以上分からない。

中国政府、あるいは中国共産党が、アメリカの政治、とりわけ大統領選挙に介入（干渉インターフェアランス）したという主張が激しくなされている。これは、主にアメリカに住む、反中国共産党の立場を強固に持っている人々によって主張されている。

今度の大統領選挙（11月3日）の直後から、満天下に、即ち世界中に丸見えになってしまった、ディープ・ステイト the Deep State という勢力による「トランプ政権転覆クーデター」の企てがあり、それが失敗した。このことを、最も精力的に真実の報道をしたのは、反中国共産党の立場の中国系アメリカ人たちである。一言で書くと、大紀元時報、「エポックタイムズ」Epoch Times グループである。

11月４日にクーデター（選挙の開票の大量の違法な操作）が起きたあと、私は自分のインターネットサイトの「学問道場」に、「緊急事態が起きた。不正選挙が行われて、トランプの再選が危機に陥った。私たちも戦いの準備をしなければならない」という主旨のことを書き込んだ。

その後、私は１カ月半の間に、６回長文で自分の考えと分析と予測を書いた。この時、大紀元、エポックタイムズ・グループの日本人向けのデジタルメディア放送局からの情報が大変貴重であり、ありがたかった。それ以外にも、帰国子女で英語がよくわかる人を含めた日本人の若者が、自身のＳＮＳやユーチューブチャンネルを通して情報発信してくれた。これらが大変役に立った。

ユーチューブの親会社はグーグルである。グーグルは「ＧＡＦＡ（グーグル、アマゾン、フェイスブック、アップル）＋ＭＳ（マイクロソフト）」、すなわちビッグテック big tech

と呼ばれる巨大IT企業5社のひとつである。

今度のトランプ潰しの政治クーデターでは、このビッグテック5社が大きな役割（元凶、主犯）を果たしており、持っている巨額の資金力からしても、トランプ攻撃の最先頭の位置にいた。

ビッグテック自体が、大テレビ局（ネットワーク）や大新聞を資本所有している。ニュース専門の放送局である「MSNBC」はMS（マイクロソフト）がNBC（全米3大テレビ局のひとつ）を持っていることを示している。WAPO（ワポ。ワシントン・ポスト紙）は、アマゾンのCEOジェフ・ベゾスが買収した。

MSの創立者ビル・ゲイツは経営責任から離れているが、彼が明らかにトランプ攻撃の司令官である。コロナウイルス（COVID-19）が撒かれた時からの世界報道管制は、アメリカのジョンズ・ホプキンス大学が握っているが、そこへの最大の資金提供者がビル・ゲイツである。


ビッグテックが作ったハイテクのSNSの通信インフラこそが、世界中の民衆支配に大きな役割を果たした。人類史（世界史）のなかにおいて、情報や知識の伝達は、その時々の権力者たちが持つ技術力の最先端のところで行われる。

戦争の勝ち負けの帰趨の報告は、「マラトンの戦い」の故事にあるように、伝令兵が42キロメートルを、心臓が破れるくらいの力走で伝えた。そのほかに伝書鳩、伝令犬や狼煙(のろし)の伝達も使われた。

第2次世界大戦中は、ラジオにかじりついて、真剣にラジオ放送をひそかに聴くことで、戦争の情勢を細かく把握しようとする人が多かった。ラジオ放送のなかに秘密の暗号までが含まれていて、それでレジスタンス運動や敵国に潜入したスパイ(工作員)たちへの通信も行われた。今はインターネットを通じたSNSの先端技術で、アメリカの政治情勢が即座に伝えられる。


では、中国はこの先どの方向へと向かうのか。

詳しくは本文で説明するが、中国は、もうアメリカから学ぶことがなくなった。アメリカが築き上げた自由な世界の理想が、崩れ去った。デモクラシー(民主政体(せいたい))の土台をなす選挙そのもので、こんなにも無様(ぶざま)に大規模な不正(マッシヴ・フロード)が行われるようでは、アメリカはもう、中国人にとって目指すべきお手本の国ではない。

大きく幻滅した中国人は、これからは自力で、自分の頭で何でもやっていかなければならないのだと気づいた。欧米白人の近代文明が、丁度５００年たって終わろうとしている。中国を中心とする東アジアが、世界文明の新たな中心（センター）になりつつある。

日本は、その中に自分の位置をしっかりと見つけなければいけない。

もくじ

◉アメリカ争乱に動揺しながらも
中国の世界支配は進む

第1章　米中のあいだで今、本当に起きていること

第2章 中国は自立、独立路線を走り続ける

第3章 本気でアメリカを追い落とす中国の最先端技術戦争

第4章 新たな火種を抱える中国金融内乱

第5章 中国の未来に巻き込まれる世界の今後

第1章
米中のあいだで今、本当に起きていること

キッシンジャーが首を切られた意味

11月25日に、習近平が「バイデン新大統領へ祝電を送った」と新華社が公式に報道した。私のこの中国研究本の最新作では、このことを重大視し注目する。私にとって、寝耳に水の驚きであった。習近平がペラリと1枚だけの声明文を出しただけだ。この祝賀文について、後続する中国政府関係の論評は全くない。

その翌日の11月26日に、トランプは即座に、ヘンリー・キッシンジャー元国務長官を、国防総省のデフェンス・ポリシー・ボード（国防政策委員会、Defense Policy Board＝DPB（ディーピービー））のメンバーから除籍、追放した。

キッシンジャー博士は、習近平、トランプとロシアのプーチン大統領の長年のメンター（指導教授）であった。トランプは、何とキッシンジャーでさえ、自分の味方ら勢力から切り捨てた。このことは重大事（じ）である。

おそらくその数日前に、キッシンジャーがトランプに電話して、「そろそろ、お前もあきらめて大統領職を潔く退任したらどうか？」と勧めたのだろう。これに対しトランプは

ついに3帝のメンター（指導教授）、キッシンジャーをトランプが切った

ほとんど何も言わなかっただろうが、「もう、あなたから以後、助言を受けることはない」と言って、電話を切っただろう。このことは、私にとっては大きな驚きである。ここで、世界史上の政治重力が移動している。トランプは、アメリカ国民の支持だけに依拠（いきょ）する大統領になったのだ。

考えてみれば、キッシンジャーは若い頃から国家情報部員（インテリジェンス・オフィサー）であり、国務省高官であったから、ディープ・ステイト（影に隠れた政府）の一員である。キッシンジャーはイギリス国王（女王陛下）やヨーロッパの各王家から勲章をもらったり、称号を与えられたりしてきた。ディープ・ステイトの総本部は、ヨーロッパ主要国の王家たちだから、キッシンジャーがそれに服従するのは自然である。

トランプは絶対にぶれないで、アメリカ民衆を代表する立場を貫いた。それとともに、アメリカは世界の警察官（グローバル・コップ、あるいはワールド・ポリス）の役目を放棄するという考えを貫き続けた。これが、アイソレイショニズムであり、「アメリカ・ファースト！」だ。「アメリカ国内を優先する」という思想だ。×「アメリカ第一主義」は、誤訳であり間違いだ。

それでも3帝による世界体制は2024年まで続く

左は1945年2月4〜11日に開かれたヤルタ会談の様子。左からチャーチル(英)、ルーズベルト(米)、スターリン（ソ)。

上の習近平、プーチン、トランプの「ニューヤルタ」あるいは「ヤルタ2.0（トゥー・ポイント・オゥ)」は揺るがない。

この立場をめぐって、ふたりは分裂した。このトランプによるキッシンジャー（97歳）の排除が、今後の米中関係の動きの中心となる。

もう1人の世界政治のキープレイヤーであるロシアのプーチン大統領は、悠然と構えたまま黙っている。おそらく、プーチンが一番よく分かっていて、今のまま世界を、3大国によるつばぜり合いの支配構造として維持し続ける、という考えであろう。

私、副島隆彦は、なんとかこの後も、トランプ、習近平、プーチンによる「3帝会談」路線で世界平和を維持することを望む。そのための大義名分として、新しい「核兵器制限交渉」を3大国で始めるべきだ。

平和とは、「戦争がないこと」という意味だ。バカみたいな説明だが、これが本当に、平和の定義なのである、

だが、この3大国（3帝国）による平和共存路線は、少しぐらついてきてしまっている。

さあ、困った。

分裂への一途をたどるアメリカ国内

アメリカ国内は、これまで以上に対中国政策で中国に強硬な姿勢をとるべきであるという声が大きくなっている。この考えを極端に貫けば、「アメリカは中国と戦争を始めるべきだ。日本もそれに従って、中国と戦争をするべきだ。これ以上、中国が大国になることを阻止しなければならない」という考えに行き着く。

この立場は「まえがき」で触れた大紀元、エポックタイムズ・グループの反共右翼の人たちの立場である。さらには、それを日本向けに日本語放送を行っている人々の総意であろう。

アメリカ国内にも、「トランプを守れ」で武装した愛国者たち（元軍人が多い）が各地で立ち上がって、沸き起こっている。アメリカ憲法修正2条が定める「民兵（militia。ミリシア）となって、武装して政府に抵抗する権利がある」に従い、アメリカ全州で、このミリシア（武装民兵）の部隊が自主的に出来つつある。

アメリカは、だんだん中国との戦争も辞さずという構えになっている。だが、その前にアメリカ国内の自分たちの敵であるディープ・ステイト勢力と、国家内部での激しい戦いをやらなければ済まない。

これは一言で言えば「内戦」である。英語ではCivil War（シヴィル ウォー）＝「市民戦争」と書く。日本人には、ちょっと何のことかよく分からない言葉である。これは、同じ国民どうしでの殺し合いである。

日本人に分かりやすくかみ砕いて言えば、「応仁の乱」（1467年〜）のようなものだ。応仁の乱は、当時の首都京都で、武家勢力が争い合い、小規模の戦闘が50年にわたって続いた。

あるいは西郷隆盛が、計画的に策略で殺された西南の役（えき）でもいい（明治10年、1877年）。あれは九州だけの戦闘で、政府軍（明治新政府）によって西郷隆盛たちが国家反逆者にされた、半年間だけの地方戦争であった。こうしたイメージが日本人にとって、アメリカでこれから起きていく内乱状態を理解するのに分かりやすいだろう。

このように、アメリカ国内の激しい対立、政治的分裂は、もはや不可避のところにまで

私は大統領選後の2カ月間、生まれて初めてYouTubeを観続けた。大手メディアは完全に死に絶えた

上、新唐人テレビの張陽氏、下は幸福実現党の及川幸久氏。及川氏の後ろの本棚には小室直樹の著書が並んでいる、彼らの情報のスピードには最早、既存メディアはかなわない。

来た。アメリカのザ・シヴィル・ウォーは、日本語では「南北戦争」（The Civil War、1861〜1865年）である。今、再び、第2次の南北戦争がアメリカで始まったと考えるべきだ。

アメリカのど真ん中の大きな州であるテキサス州（面積約70万㎢。日本の約2倍）では、元軍人たちがミリシア（武装民兵）による組織を作り上げ、他の南部の諸州と共に、南北戦争の再来である新たな「コンフェデレット・ステーツ・オブ・アメリカ」（Confederate States of America　南部連邦、CSA（シーエスエー））を結成して、ワシントンにまで攻め上がるという動きまで出ている。

歴史ドラマ風に言えば、南北戦争の復讐戦という感じだ。実際、こうした状態に突入しつつある。

ニューヨークや首都ワシントン、ボストンなどの東部の大都市で、威張り腐ってきたエスタブリッシュメント（支配階層）に対して、アメリカの中西部（ミッド・ウエスト）や南部（サザン）で素朴な生き方をしてきた白人たちが、「東部の奴らの腐敗した、気色の悪い考え方の蔓延（まんえん）は、もう許さない」として、武力行使する流れになっている。大変なことになってきた。

おそらく、トランプがグローバリスト＝ディープ・ステイトの勢力に一番嫌われた理由は、彼がアメリカの世界覇権、世界の警察官の役割を放棄しようと決断して、実際に行動しているからだ。世界中から米軍を自国に撤退させようとしている。トランプにしてみれば、「アメリカが世界中の面倒など見る必要もない。アメリカには、もうその力もないんだ。この現実を直視するしかない」と考えているからだ。

ただし本書は中国研究本なので、これらの問題について詳しくは、1月に発売された『今、アメリカで本当に起きていること　米大統領〝不正〟選挙から米国の内戦へ』（ベンジャミン・フルフォード氏との対談本。秀和システム刊）を読んでください。

不正選挙に中国はどこまで絡んだのか？

アメリカ帝国の本国がこのように激しい争乱状況になったので、もはやアメリカがこれまでのように世界を安定して管理していくということは無理である。私は、アメリカ民衆に熱烈に支持されているトランプ大統領の立場を強く応援している。

人類に初めて本物のデモクラシー（民主政治体制）を実現したのは、アメリカ合衆国である。このアメリカ人がたどったデモクラシーの歴史について、ここでは詳しく書く余裕はない。ただ、アメリカン・デモクラシーという言葉、考え方、仕組みが世界中の人にとって、戦後は光り輝いて見えたのは間違いない。

だが、世界史はさらに新しい時代へ向かう。世界覇権はアメリカから中国へと移っていくという、冷酷な考え方（歴史観）にならざるを得ない。私はもうかれこれ20年間、この考えを提唱し、貫いてきた。今、このような状況になっても、この考えを変更するつもりはない。この本のタイトルのとおり、『アメリカ争乱に動揺しながらも 中国の世界支配は進む』なのである。

それでは、どのようにアメリカから中国へ世界支配力が移転、移動していくか。これについては、本書のあとのほうで説明する。

米大統領選挙に、中国がどの程度関与したか、これから明らかになる。現在出ている情報では、不正選挙に使われた「ドミニオン」という、もともとはCIAが開発した票集計マシーンがある。これにより、諸外国の当選結果の得票数をコンピュータで不正に操作し、それらの国々で当選した政治家（議員）たちを操って、アメリカの都合のいいように世界政治を動かしてきた。

このデジタル投票システムの会社を、中国政府の影響下にあるＵＢＳ（スイス銀行）証券という企業が４億ドル（４００億円）で選挙の直前に資本参加した。あるいは、バイデン親子に１億ドル（１００億円）くらいのお金が、中国企業を通じて賄賂として渡されていた、などである。

ジョー・バイデンの次男であるハンター・バイデンは、この他にウクライナ政府のエネルギー（天然ガス）会社「ブリマス」から毎月５万ドル（５００万円）を秘密で貰っていた、などが、どんどん証拠として連邦議会に報告された。外国との関係を厳しく見るアメリカの基準では、これだけでも重罪であって、刑務所に入れられる。

だが、この程度の賄賂や買収を、中国の国家情報部である「国家安全部」がやったのは、私の考えでは当たり前のことだと思う。国家安全部は、アメリカのＣＩＡ（米中央情報部）に相当する組織（カウンターパート）として作られた。中国公安部から１９８３年に分離して出来た。安全部職員は軍人でもあるようだ。

ドミニオン社のサーバーに蓄えられていた、不正に操作された投票データを、CIAの幹部たちが慌ててドイツのフランクフルトに置いてあるCIAのコンピュータファーム（集積所）で証拠隠滅しようとした。これをアメリカの特殊作戦部隊（スペシャル・フォーシズ）が襲撃して、すべて証拠として押収した（11月7日）。

この時、CIAを守るためにアフガニスタンから送られていた部隊と、特殊作戦部隊（第24部隊、通称「デルタフォース」）が撃ち合い、デルタフォース5人が死に、CIA側が1人死んだ。

これだけでもアメリカの歴史に残る大変な軍事衝突、内戦、内乱である。なぜなら、アメリカ軍人どうしが殺し合ったのだから。

これは、テレビでこれまで報道されているような、アメリカ軍が小さな国の反政府ゲリラとぶつかって20人が死亡したような事件とはレベルが違う。これからのアメリカを暗示する重要な歴史事件である。

アメリカの内乱、内戦のことは、この本ではこれ以上書かない。ただし、どう考えてもアメリカの世界管理力が、国内の争いのために落ちていくのは間違いない。

政治家が外国から賄賂をもらうことは、アメリカ基準では極めて重い罪である

2013年、中国を訪れたハンターとジョーのバイデン親子。2020年12月、司法省はハンターの中国ビジネスに関する税務問題の捜査を開始した。

中国と台湾を股にかけるイレイン・チャオの正体

トランプ大統領をずっと応援し続けた共和党のミッチ・マコーネル上院院内総務（マジョリティ・リーダー）が態度を変えた。２０２０年12月15日に、トランプの敗北を認めた。その妻であるチャイナ・ロビーの代表であるイレイン・チャオ運輸長官は、閣僚であるからトランプへの忠誠を誓っている。

チャイナ・ロビー（China Lobby）はアメリカ政界で反中国共産党で、国民党（蔣介石）を支援し続けた親中勢力である。チャイナ・ロビー派は今も台湾の国民党を守り、「大陸反攻」をずっと主張し続けている。

すなわち彼らは、中国共産党によって占領、統治されている今の大陸中国に対して、台湾国民党を応援して、もう一度攻め返し、共産主義から中国を解放しようと考えている。この派閥勢力の現在のトップが、イレイン・チャオである。前作『全体主義（トータリタリアニズム）の中国がアメリカを打ち倒す』の第5章で詳しく説明した。

チャイナ・ロビーの代表イレイン・チャオは台湾と中国の双方を手玉に取っていた

2019年10月22日、新天皇即位の礼の儀式で、耳元で言葉を交わす王岐山国家副主席とイレイン・チャオ。このあと、彼女は秘かに台湾に行った。

ところが、このチャオ女史は必ずしも反中国ではない。ユーチューブの張陽チャンネルでは、次のように説明している。

２０１９年6月3日のニューヨークタイムズ紙で、中国共産党幹部と近しい関係にあることが報道された。彼女の父親と江沢民は、上海交通大学の同級生でもあった。彼女の一族が経営する福茂集団（Foremost Group）も、中国共産党に深く食い込んでいるという。チャオは、アメリカ政府を代表して２０１９年10月22日、新天皇即位の礼の儀式に、マイク・ペンス副大統領の代理として出席した。この際、王岐山とも親しそうに会話を交わしていた。

イレインの妹アンジェラが現在の福茂集団のＣＥＯである。彼女はかつて、中国の国有船舶会社「中国船舶」に勤めていたこともある。また、中国政府関係の評議会のボードメンバーにも選ばれている。

さらに12月15日、イレイン・チャオが運輸長官という立場を利用して福茂集団に便宜を図ったという報道もなされた、と張陽チャンネルで報じられた。

じりじり寄り切ろうとする中国の〝横綱相撲〟

ここで重要なのは、トランプを支持する勢力が、中国という外国からの政治干渉があったので、これを自分たちの錦の御旗、大義名分として、自分たちは愛国的に決起するという筋書きを作ったことだ。だが私は、これはちょっと無理があると考えている。

純粋にアメリカの民主政体(デモクラシー)の基礎である選挙制度が、破壊されたという怒りが民衆に火をつけた。これに反(はん)中国感情を付け加えることで、言い換えれば中国を〝人身御供〟にして、アメリカ国民の団結を図ろうとしている。

習近平たち中国の指導部は、きっとあきれ返って、このアメリカの現状を見ている。習近平は個人としても、トランプとの信頼関係を継続することが中国にとって望ましい、と考えている。そうに決まっている。中国国民も、トランプに好意を持っている。

私は、これまで中国でいろいろと見聞きしてきた。たとえば、デパートの売り子の女子店員たちも、「中国人はヒラリーが大嫌い。中国と戦争しようとするから」と言っていた。だから、中国政府(中国共産党)が、アメリカの内政に干渉して、バイデン政権ができるように動いたということはあり得ない。そんなことをする理由がない。そのため、この点では、大紀元、エポックタイムズの人々に対して、私は大きな違和感を覚え、その考えに反対する。

ただし、中国の国家安全部（アメリカのＣＩＡに相当）の中に、奥深いところで動いている国家スパイたちがいる。表面に出ない限りは、何をやっているかはわからない。スパイは敵側とつながって、二重スパイ（ダブル・エイジェント）になる、という法則を持っている。相手方の情報を取ろうとすれば、自分も相手の罠（わな）にかかるという性質を持っている。スパイ小説を好んで読む人たちは、そういう残酷な人間ドラマを知りたいのだ。バレたら裏切り者として殺されるわけだから、想像を絶する非情な世界である。

中国の国家安全部がアメリカ民主党の中に潜り込んで情報を取るやり方として、アメリカ民主党の議員たちをハニートラップの色仕掛けで篭絡（ろうらく）して、中国の言うことを聞くように仕向けることをやる。実際に、カリフォルニア州選出の下院議員、エリック・スウォウェル（40歳）が方芳（ファンファン）という中国の女スパイに引っ掛かった。このことが露見して騒がれた（12月10日）。美人中国女の方芳は、本国に逃げ帰った。

習近平は、バイデンのほうが明らかに好きではないだろう。それが表情によく表れている

2013年12月、北京で会談した際のバイデンと習近平国家主席。

この色仕掛けのスパイ・ドラマは、「レッド・スパロー（赤いすずめ）」という名の映画（主演ジェニファー・ローレンス、２０１８年）で描かれている。

こうした活動は、中国人がアメリカでのビジネスがうまくいくように、お金を渡し続けることから始まった基本的な政治活動だ。それを、世界中で国家、政府次元でもやるようになった。

だから、国家スパイたちがやっているこうしたことは、どこの国もお互い様である。その国の大きさに応じて、国家情報部員（インテリジェンス・オフィサー）たちが世界各国でうごめき合っている。アメリカのＣＩＡの情報部員（エイジェント）たちが一番多くの国に送り込まれていて、それらの国々をいいように操り、押さえつけ、アメリカの言うことを聞かせてきた。

日本はその対象として典型的な国だ。私は『属国 日本論』（決定版、ＰＨＰ研究所、２０１５年刊）で、佐藤栄作政権が選挙対策でアメリカ政府に資金をねだった事実などを、たくさん書いた。これら多くの事実は、アメリカ側の政府文書から明らかとなった。

だから、アメリカと同じようなことを、ロシアや中国もやっているのは当然のことである。

今も、世界中で中国の情報部はハニートラップを仕掛ける。他の国も同じことをやっている

2012年の学生イベントで仲良く並ぶエリック・スウォルウェル下院議員（カリフォルニア州選出）。とファンファン（上）。初の女性中国系下院議員ジュディ・チューと（左下）。日本嫌いで有名な下院議員（当時）マイク・ホンダにもファンファンは食い込んでいた（右下）。

私は何も居直って、ここで中国の肩を持っているのではない。

習近平たちは、唖然として現在のアメリカを見ているはずである。

中国政府の意思と大方針は、なるべく穏やかに今の世界情勢を維持し続けたい。だからアメリカを怒らせることはしたくない。ただ、南沙諸島（スプラットリー・アイランド）の軍事基地化は、中国の海洋覇権への必須の要石（キーストーン）だから、世界がどれだけ嫌がろうと譲歩しない。じわじわと中国の国力、すなわち経済力、金融力、情報力、技術力、軍事力などの〝総合体力〟を付けていくのが、一番いい優れたやり方だと中国はわかっているからである。

この中国のやり方は、いわば〝横綱相撲〟である。横綱は土俵上で相手の力士を大技で投げ飛ばしたりなどしないのだ。そうではなくて、立ち合いから相手をググっと両腕で絞めて、静かにズリズリと押し、そのまま寄り切って土俵を割らせる。

これが、相撲における最高の技なのである。大技をかけて相手を投げ飛ばしたら、この時、自分が受けるダメージも大きい。下手をすれば、自分の骨にひびが入るかもしれない。大技など極力掛けるものではない。できるだけ危ないことはしないのが、すぐれた人間の生き方だ。これを横綱相撲と言う。

清朝末期の日中関係と似てきた米中対立の構図

今、中国で一番共有されている考えは、「アメリカという国にはガッカリした」というものである。中国の知識人や最先端のコンピュータ技術者たちは、この50年間アメリカという大国にものすごく憧れて、強く惹かれてきた。そして、留学して多くのことを学んだ。アメリカのデモクラシーと自由主義の思想を、最も高く評価してきたのが、中国の開明派(エンライトンド・ピープル)の人々である。

その分だけ、彼らは共産党独裁政治を強く嫌ってきた。中国共産党が政治抑圧と言論統制を強いるからである。しかし、それでも中国は、この40年でものすごく経済発展して豊かな国になった。この事実も一方で、彼らは強く理解し、認識している。だから、共産党政治に簡単には反対しない。

アメリカに強く憧れた、この中国の先進的な人々が今、アメリカに大(だい)ガッカリしている。〝アメリカン・デモクラシー〟などというものの実態が、今回の米大統領選で見るも無残に明らかになった。実情はキレイごとではなくて、薄汚れたものであることが分かった。

アメリカにも巨大な不正と腐敗があった。「これがアメリカの真実の顔なのだ」と中国人たちは、はっきりと気づいたのだ。

アメリカの支配階級が、内部で作ってきた巨大な腐敗 corruption は、中国共産党が内部に作っている腐敗と何ら変わらない、愚劣極まりないものであった。このことが、今度のアメリカの選挙ではっきりと表に現れてしまった。

ディープ・ステイトという欧米白人世界の超特権の支配者が、姿を現した。驚くべきことである。日本でも、一糸乱れず統制された鉄面皮のメディア（マスゴミ）のウソ報道によって、このことが証明されてしまった。

だから今、中国のエリートたちは「もうアメリカから帰ろう、帰ろう」と言って、急いで中国に戻りつつある。自分たちの理想の国だったアメリカに幻滅してしまった。「もう、学ぶものは何もない。全て盗み取った。もう、アメリカに期待することなどない」と、中国の頭のいい若者たちは腹の中から分かった。

さらに、中国の「千人計画」や「孔子学院」が大嫌われて、欧米から追放される事態が並行して起きている。この千人計画と孔子学院を通じて、中国の優秀な人材がアメリカや日本やヨーロッパで最先端の技術を上手に移転、すなわち泥棒することに熱中してきた。

この人々も、アメリカにさっさと見切りをつけて、中国に帰りつつある。もっと簡単に言えば「アメリカで、捕まりたくないから。このままアメリカにいたら、ろくなことはない」と中国人の優秀な人材たちは判断した。目下の新しいコロナウイルス騒ぎの最中でも、中国人が中国に帰る飛行機だけは、どんどん飛んでいるようだ。

その様子を報じた記事を紹介する。

「中国の研究者1000人超が出国、技術盗用規制強化の中」

米司法省のジョン・デマーズ次官補（国家安全保障担当）は12月2日、技術盗用を巡る取り締まりを強化する中、中国の研究者1000人以上が米国を去ったと明らかにした。

また、米国家防諜安全保障センターのウィリアム・エバニナ長官は、中国の工作員が、すでにバイデン次期米政権の職員やバイデン氏のチームの関係者を標的にしていると述べた。

米国務省は９月、中国軍と関係があるとみられる中国からの学生や研究者の入国を阻止する取り組みの一環として、中国人に発給した１０００件以上の査証（ビザ）を取り消したと明らかにした。

司法省当局者によると、デマーズ次官補が言及した研究員らは、これらの中国人とは別だという。研究者らは、連邦捜査局（ＦＢＩ）が20以上の都市で聞き取り調査を行い、国務省が７月にテキサス州ヒューストンの中国総領事館を閉鎖した後に米国を離れたという。当局は研究者らが中国人民解放軍と関係があると考えている。

デマーズ氏は「米政府機関がここ数年に目の当たりにした、外国に影響を及ぼそうとする大掛かりな活動は、唯一中国人がそれを実施するだけの原資と能力、意志を持っている」と述べた。

バイデン氏の政権移行チームはコメントを控えた。同氏の選対陣営は今夏、サイバー攻撃に対応する用意はできていると述べていた。

エバニナ氏は「米政府機関の監視対象となっている米国内の中国人研究者は全員、中国政府の指示で米国に来ている」との見解を示した。

中国は、９月の査証取り消し措置について、「あからさまな政治的迫害であり、深刻な人権侵害に当たる人種差別だ」と非難している。

（2020年12月3日　ロイター）

こうして中国敵視がますます強まり、アメリカで暮らす多くの中国人研究者や技術者がスパイだと見なされている。この状況下で、中国人がアメリカに見切りをつける動きは、ますます加速していくだろう。

こうしたアメリカへの大きな幻滅が、急激に広まっている中国の現状を歴史的に類推する。それは、日清戦争（1894年）のあとの中国人たちの行動と極めて似ている。それまでは中国人から低く見られていた日本が、大清帝国（清朝、清国）と戦って勝ってしまった。中国はドイツから買った2隻の当時の最新鋭の大戦艦である「定遠（ていえん）」は撃沈され、もう1隻の「鎮遠（ちんえん）」は日本軍に拿捕（だほ）された。鎮遠はこの後、日本海軍に編入され日露戦争の日本海海戦などに出撃した。

日清戦争のあと、北京に集まっていた中国のエリートである科挙の試験に受かった学生たちが騒ぎ出した。その代表が、のちに政治家、思想家となる康有為（こうゆうい）である。康有為が

「公車上書」と言って、ときの若い皇帝、光緒帝の車に向かって飛び出し、跪いて上申書を差し上げた。「中国は急いで近代化しければいけない」「欧米列強による支配が、このあと起きてしまう」と、激しく訴えた。これが「公車上書」である。

これをきっかけに、それまでの西洋技術を積極的に取り入れる「洋務運動」に代わって、政治体制の近代化までを強力に推進する「変法自彊運動」という改革が起きた。光緒帝が若い康有為たちを登用して、「変法」という名の改革を一気にやろうとした。ところが、これはたった100日間で潰された。潰したのは、光緒帝の叔母で、実際上、女帝であった西太后という婆さま権力者だった。

変法自彊に失敗した康有為たちは、日本へと逃れた。伊藤博文と首相の大隈重信が「彼らを救い出せ」となり、日本の軍艦で運ばれていった。表面上は民間人の大陸浪人の宮崎滔天らに助けられた形にした。この変法自彊を進める上で、中国の優れたエリートたちが「日本に学べ」「先に近代化した日本に学べ」と日本を高く評価したのである。

この後、2万~3万人の中国人留学生が日本に押し寄せた。1911~12年に辛亥革命が起きると、科挙の試験が廃止されたので、さらに日本にやって来た。中国人のエリート青年たちにとって、日本に留学することが、科挙の試験に合格することの代わりになったからである。彼らは、神田のあたりで明治大学や法政大学などに通った。

日本から中国に帰ると、裁判官や官僚などのエリートコースを歩むことができた。それくらい中国人の日本への尊敬と憧れは強かった。この当時、日本人はろくな食べ物を食べていなかった。だから中国人留学生のために、中華料理屋がこの地区にたくさんできた。

ところが、第1次世界大戦（1914～1918年）が起きて、ドイツの租借地だった山東（シャンドン）半島の領有権を、日本は火事場泥棒で参戦してドイツから奪い、そこに居座った。大きな港としては青島（チンダオ）がある。1919年、WWIの戦後処理をするためにベルサイユ宮殿でパリ講和会議が開かれた。この会議で欧米列強は、日本が主張した中国の領有権を認めた。中国はこれに激しく抗議した。これがベルサイユ条約である。

この時、中国の先進的な学生たちが騒ぎ出し、発生したのが「五四（ごし）運動」である。中国人青年たちは怒って「もう日本に期待することはない」と言い出し、「大ガッカリ」でどんどん中国に帰り始めた。中国人は、「これからはもう自力で独自の力でやっていく」と決めたのである。あの時の感じと、今の中国人留学生たちのアメリカから帰国する流れが、とてもよく似ている。

盗むべきは盗んだ後に中国が進むいばらの道

中国人研究者たちがアメリカから自国へと引き揚げるのは、ITや製造業などの先端テクノロジーを、中国人が自前で作れるようになったことも大きい。ひと言でいえば、盗むべきものはすべて盗んだということである。このことについては、本書の第3章で詳しく説明する。

つい最近、習近平が「報道の自由など誤った考えだ」と、はっきりと言ったと報じられた。

「習近平氏「報道の自由」誤り 西側メディアを激烈批判」

中国の習近平国家主席が、2016年の国内報道関係者との会合で西側メディアについて、「(彼らは)イデオロギー的偏見に基づき中国の政治体制を攻撃しており、(彼らが唱える)絶対的な『報道の自由』などというものは完全ではない。誤りだ」と激しく罵ったことが12日に分かった。中国で先月出版された習氏の発言集で判明した。

習氏の西側メディア批判の赤裸々な発言が明らかになるのは珍しい。

発言集は、2013～20年の発言をまとめた『党の宣伝思想工作を論ず』（中央文献出版社）である。習氏は、16年2月19日の会合で「西側メディアは（1）他国のマイナス面（2）スキャンダルや暴力（3）針小棒大なニューズばかり報じている」と批判した。

「（彼らは）テロや抗議活動を、『民主主義』や『自由』『人権』の行動として描き、社会主義の中国に泥を塗っている」と強く非難した。西側が掲げる「報道の自由」の本質を見極め、（中国人民は）影響を受けないようくぎを刺した。

習氏は、共産党への忠誠を原則とし、出来事のプラス面を積極的に報じるよう指示した。「（彼らの）娯楽や社会ニューズも軽視してはならず、有名人のスキャンダル報道などもプラスにならない」と戒めた。

同会合については当時、党機関紙人民日報が1面トップで取り上げたが、この中では習近平による西側メディアの報道の自由批判の部分は報じていなかった。

（2020年12月12日　スポーツニッポン）

中国人は、今回のアメリカの大統領選挙で行われた見苦しい限りの、幼稚極まりない選挙不正を見て、選挙制度などという立派に見せかけた西洋近代人（モダーン・マン）が行う行動が、これほど愚劣なものであるとは思わなかった。選挙で大規模なインチキをやれば、デモクラシーなど形だけのものになってしまうからだ。

コンピュータを使った不正選挙は、この20年間、日本でもアメリカの力で実際に行われてきた。それは2001年9月の、小泉純一郎政権の誕生と、そのあとの「郵政民営化」という、日本国民の大切な資金をアメリカが奪い取るための日本金融占領として実施された。日本の選挙も汚されているのである。

習近平はじめ中国人は今や、それこそ「大ガッカリ」なのである。「こんなくだらない制度をやっているよりは、毛沢東が始めた中国の独裁体制のほうがよっぽどマシ」と、本音のところで思ったに違いない。共産党独裁だと表面に出して政治をやっている分だけ正直である。偽善（ヒポクリシー）が少ない。

日本人は中国共産党の独裁政治を非常に嫌がるが、中国人から見たら、「日本はデモク

「民主党が大統領選で不正行為をしたことは、アメリカで最も大きな公然の秘密だ！」

2020年12月5日、ジョージア州で開かれた集会で演説するトランプとメラニア。バイデンの勝利を認めた共和党の州知事のことも、「恥を知れ！」と一刀両断した。

ラシーで自由主義の国だと言うけれど、自民党という一党独裁政治をずっとやっているではないか。どこかがデモクラシーの国だ」ということになる。

私はホントだなと思う。こういう、もう一つ別の角度からのものの見方があることを、私たちは知らなければならない。日本人は未だに〝井の中の蛙〟で、自分たちが立派な国に暮らしていると勝手に思い込んでいる。世界から見て、30年間も経済成長がなくて、衰退を続けているのに、誰も本気で「これではいけない」と騒ぎ出す者がいない。私たちは政府とディープ・ステイト（影に隠れた政府）に騙されたまま、みじめに生きているだけだ。

そろそろ、自分たち自身の愚かさを自覚したほうがいい。今や東南アジア諸国、即ちASEAN（アセアン）（東南アジア諸国連合）とRCEP（アールセップ）（東アジア地域包括的経済連携）からも、今の日本は経済大国だとは思われなくなっている。

理科系の技術者たちが維持している日本の工業生産力と先端技術力は今もすごい。これに対する外国からの尊敬はまだある。日本製品は壊れない。信用が高い。だがそれ以外の点では、おそらく日本への尊敬の念はどんどん減っている。

「日本の奥ゆかしい文化は、本当に素晴らしい」などと勝手に思い込んでいるのは、日本人だけだ。どこの国の人々にも、自分の国の文化が一番素晴らしいという感情があるに決まっている。

なるべく貿易戦争は避けたいという中国の本音

ここで大事なのは、トランプ大統領が、２０２０年11月12日、中国のハイテク企業35社に対して制裁を加える大統領令に署名したことである。これらの中国企業は中国人民解放軍と関係が強いと判断された。だから、アメリカ人がこれらの企業に投資するのを大統領令を出して禁じたのである。

すでにアメリカ国防総省は6月に、人民解放軍と関係が深いと見なした中国企業20社のリストを公表し、8月後半に11社を追加した。さらに12月3日、そこに4社を追加した。これらの企業のリストは、Ｐ54～55に載せた。

12月18日には、アメリカ商務省（コマース）が中国企業59社をブラックリストに追加した。この中には、ドローンの製造で世界最大手のＤＪＩ（ディージェイアイ）や中国最大の半導体メーカー、中芯（ちゅうしん）国際集成電路製造（ＳＭＩＣ（エスエムアイシー））も含まれていた。いずれも重要な先端企業である。

中核集団 CNNC	中国核工業建設集団	上海	原子力メーカーで2019年から中核集団の傘下
中广核 CGN	中国広核集団	深圳	大手原子力発電メーカー
SMIC	中芯国際集成電路製造	上海	中国最大の半導体ファウンドリ
中国移动 China Mobile	中国移動通信	北京	世界最大の携帯通信キャリア
中国电信 CHINA TELECOM	中国電信	北京	中国最大の固定通信サービス会社
China unicom 中国联通	中国聯通	北京	世界4位の携帯通信キャリア
HUAWEI	ファーウェイ	深圳	世界最大の通信機器ベンダー
HIKVISION 海康威视	ハイクビジョン	杭州	世界最大の監視カメラメーカー
中科曙光 Sugon	中科曙光	北京	スーパーコンピュータ企業
inspur 浪潮	浪潮集団	済南	世界3位のサーバーベンダー
CEC 中国电子 CHINA ELECTRONICS	中国電子	北京	中国最大のIT・液晶パネル製造メーカー
PANDA	南京熊猫電子	南京	人民解放軍、北朝鮮と関係が深い1936年創業の家電メーカー
CETC	中国電子科技集団	北京	2002年創業の電子・コンピューターメーカー
中国航天	中国キャリアロケット技術研究院	北京	1957年に銭学森が設立した中国最大のロケット製造メーカー
中国航天	中国航天科技集団	北京	国有ロケット・ミサイル製造メーカー
中国航天	中国東方紅衛星	北京	衛星通信機器メーカーで中国航天傘下の一社
CASIC 中国航天科工集团	中国航天科工集団	北京	戦略兵器、宇宙開発・研究メーカー
中航工业 AVIATION INDUSTRY	中国航空工業集団	北京	航空機製造メーカー
中国航发 AECC	中国航空発動機集団	北京	ジェットエンジン製造大手

アメリカは本気だ。国防総省が「軍事企業」に指定した中国企業35社

	企業名	所在地	概要
	中国石油海洋集団	北京	中国第3位の国有石油・天然ガス会社
	中国国際工程諮詢	北京	中国最大のエンジニアリングコンサルティング会社
中国三峡	中国長江三峡集団	北京	世界最大の水力発電会社で三峡ダムを管理
	中国建築	北京	世界最大の建設会社
	中建科工集団	深圳	中国最大の形鋼製造企業で中国建築の子会社
中国中车 CRRC	中国中車	北京	世界最大の鉄道車両メーカー
中国铁建	中国鉄建	北京	交通インフラ大手
CNCEC	中国化学工程	北京	建設設計会社で世界のゼネコン売上42位
CHEMCHINA 中国化工集团公司 China National Chemical Corporation	中国化工集団	北京	中国最大の化学メーカー
SINOCHEM	中国中化集団	北京	中国石油化学大手で年間売上約10兆円
CCCC	中国交通建設	北京	南シナ海で基地建設を担う大手建設会社
CSSC	中国船舶集団	北京	世界最大の造船メーカーで中国十大防衛企業の一社
CSIC	中国船舶重工業集団	北京	大手造船メーカーで2019年に中国船舶集団に統合され解散
北方工业 NORINCO	中国北方工業	北京	中国兵器工業集団が管理する中国最大の兵器メーカー
CHINA SOUTH	中国南方工業集団	北京	総合製造メーカーで中国兵器装備集団の別称
中核集团 CNNC	中国核工業集団	北京	国有の総合原子力メーカー

「DJIのドローンも人権侵害に加担？米国が対中制裁をさらに強化」

米国商務省は、12月18日、59社の中国企業を、軍との関係や人権侵害、企業機密の窃盗などの疑惑を理由にブラックリストに追加した。米商務省によると、中国最大のチップメーカーであるSMIC（エスエムアイシー）とその関連企業は、中国の軍産複合体との関係を理由にリストに含まれたという。

中国はこれを受けて、米国に対抗措置をとると脅している。

中国商務部は12月19日、「米国が中国企業を押さえつけようとしている」と非難した。商務省の広報担当は、中国は、自国企業の正当な権利と利益を保護するために必要な措置を取ると述べた。

「我々は米国に対し、一方的ないじめを止め（や）め、中国企業を含むすべての国の企業を公正に扱うように促す」と同省は述べた。

ウィルバー・ロス商務長官は、「米国の先進技術が、敵国の軍事力増強に利用されることを許さない。SMICと中国の軍産複合体との関係は、このリスクを完璧に示す一例だ」と述べた。SMICは今後、米国企業から部品や機材を調達することが難しくなる。

世界最大のドローンメーカーであるDJI（ディージェイアイ）も対象に加えられた。米商務省は、「深セン本拠のDJIの技術が、中国政府のハイテク監視に利用され、人権侵害に加担している」と述べた。

SMIC側は、この措置に強硬に反発し、香港証券取引所に提出した声明で、「当社は創業以来、軍事利用を含むいかなる政府の活動にも関与していない」と述べた。SMICによると、今回の米国の措置は、直近の同社の事業に大きな打撃を与えるものではないが、「10ナノメートル以下の先端技術ノードの研究開発とキャパシティの構築」に悪影響を及ぼすことになるとした。

（2020年12月24日　フォーブス・ジャパン）

こうした動きに対し、中国側はショックを受けた。中国としては、自国の巨大輸出企業が、このように取引制限をされると本当に困るのである。これまでにアメリカでなんとか儲けを出して、外貨を獲得し、資金をたくさん蓄えてきたファーウェイを代表とする輸出大企業の利益が、これで大きくガタンと落ちるからだ。

中国としては、国家戦略として「ユーラシアの時代」「一帯一路（ワンベルト・ワンロード）」を掲げ、内需拡大とアメリカ以外の世界中の国々との取引を増やす方向で動いてきた。このことは、米中貿易戦争が始まる前からの中国政府の固い決意でもある。

それでもアメリカとの貿易の額は非常に大きい。これが激減すると、中国国内の経済に打撃が大きい。だから、中国としてはアメリカとの対立、紛争はなるべく避けたい。

「バイデン当選祝電」の本当の読み解き方

さらに重要なのは、習近平が11月25日、唐突に、バイデン新政権を祝福すると祝電を出したことだ。このことについては、かなり深く読まなければならない。

習近平としては、これからも厳しいアメリカ政府との駆け引きが待ち構えている。トランプ自身も、周りの声に押されて中国には甘い態度をとることはできない。もうこれ以上、アメリカ企業の技術が泥棒されることも、中国人がアメリカの経済、金融に浸透すること

バイデンへの祝電は、トランプと天秤にかけた保険にすぎない

11月25日，国家主席习近平致电约瑟夫·拜登，祝贺他当选美国总统。

习近平在贺电中指出，推动中美关系健康稳定发展，不仅符合两国人民根本利益，而且是国际社会的共同期待。希望双方秉持不冲突不对抗、相互尊重、合作共赢的精神，聚焦合作，管控分歧，推动中美关系健康稳定向前发展，同各国和国际社会携手推进世界和平与发展的崇高事业。

习近平致电祝贺拜登当选美国总统

新华社发

訳は以下の通りだ。

11月25日、習近平国家主席はジョゼフ・バイデン氏に、アメリカ大統領選当選を祝う電報を送った。習近平は祝電において、健全で安定的な米中関係の発展を推し進めることは、米中両国民の根本的な利益に合致するとともに、国際社会の期待にも応えるものとなる。衝突せず対抗し合わず、相互尊重、ウィンウィンの精神で、協力体制に焦点を当て、対立点を調整し、健全で安定的な中米関係を前向きに発展させ、各国及び国際社会と連携しながら、世界平和と発展という崇高な事業を推進するよう希望する。

も許さないという動きに出ている。

習近平は、このことをよくよく分かっているので、トランプのこれからの自分たちへの強硬な外交交渉での押さえつけをなんとか回避したい。そうなると、習近平がとれる手段は、トランプの弱みに手を出すことである。

だから、アメリカ国内のトランプの最大の敵対勢力であるアメリカ民主党の内部に手を突っ込み、彼らを扇動することによって、議会などでトランプを困った立場に追い込むという作戦になる。政治、外交の駆け引きにおいては、必ずこのような相手の弱みを突くという作戦をとることになる。

今回の選挙不正（選挙犯罪、rigged（リグド） election）をやったことで、アメリカ民主党は巨大な打撃を受けた。民主党は、分裂、分解した上で、再編成せざるを得ない。それでも国民政治における議会勢力としては、反対勢力として存続する。バイデンもヒラリー・クリントンも排除されるだろう。だから中国としては、バイデンやヒラリーが排除されたあとの、アメリカ民主党に手を突っ込むことで、トランプをけん制するという作戦をとらざるを得ない。

そのため、敢えて11月25日に、バイデン当選を祝福するという声明（メッセージ）を送ったのだろう。同時に自分のほうの国家スパイたちが、習近平の知らないところで勝手に動いていたようである。それについて、「これくらいのことは許してくれ、お互い様ではないか」というサインを送ったことにもなる。

この直後に起きた、デフェンス・ポリシー・ボード（DPB）の委員であったキッシンジャー元国務長官の首を切ったというトランプの判断が、さらに重要になってくる。キッシンジャーは、97歳の超高齢であるから、トランプにしてみたら、「あなたには、もう期待しない」という合図だったのだろう。

キッシンジャーこそは、アメリカ国内における親中派の頭目であり、中国の利権を守る最高の人物だった。それを「もうこれ以上は、一緒にやっていくつもりはない」とトランプが拒絶した。つまりトランプは、中国との関係で一切弱みを見せないという決断をしたのである。

もう一つ重要なことは、前述したデフェンス・ポリシー・ボードの委員長に、マイケル・ピルズベリー氏を任命したことである。マイケル・ピルズベリー Michael pillsbury はC hina 2049』(『中国建国100年マラソン』、日経BP、2015年刊)の著者である。中国がアメリカの覇権を奪い取るという理論を唱えている人だ。

アメリカのインテリジェンス・コミュニティ(ワシントンで世界中の政治・軍事情報を共有する高官たち)の一員であり、中国語をずっと勉強して、国防総省や国務省の上級顧問を務めた。

ピルズベリーはキッシンジャー博士の愛弟子だった。だがピルズベリーはキッシンジャーを嫌った。彼の『China 2049』には、自分の先生であるキッシンジャーへの献辞をわざとらしく書いている。一方で「(キッシンジャー)お前こそが、ここまで中国を増長させて、アメリカの立場を弱体化させた張本人である」と、ピルズベリーはそれとなくガリガリと書いている。少し引用する。

毛沢東は、「ならず者」のソビエトに対処するために、米中は協力すべきであり、アメリカは同盟国、とりわけNATOとの団結をさらに強化すべきだ、と強く主張した。また、毛はアメリカに、ヨーロッパ、トルコ、イラン、パキスタン、日本を含めた反ソ連の軸(アクシス)を築くことを求めた。覇権国(強大国)を逆に包囲しようとするこの作戦は、中国の戦国時代からの古典的な方法だった。アメリカが気づかなかったのは、それが中国の恒久的な政治志向ではなく、米中という二つの「戦国」が、便宜上敷いた協力体制にすぎなかったことだ。１９７２年時点の毛の打算は、20年後に彼の回想録が公開されるまで、明かされなかった。

毛の計略にまんまとはまったキッシンジャーは、ニクソンに対して、「中国は英国に次いで、世界観がアメリカに近い国かもしれない」と告げた。キッシンジャーは、中国の戦略を疑う気持ちはみじんもなかったようだ。

（『Ｃｈｉｎａ ２０４９』マイケル・ピルズベリー著、野中香方子訳、日経ＢＰ）

このようにピルズベリーは、恩義のある自分の先生であるキッシンジャーに対して、それとなく怒りを爆発させている。「お前こそが、ここまでアメリカを弱体化させ、中国をのさばらせた張本人だ」と言っている。このマイケル・ピルズベリーが、これからのアメリカの対中軍事戦略の中心となる。

もう一人が、『米中もし戦わば』（原題 Crouching（クラウチング） Tiger（タイガー）「アメリカに襲い掛かろうとする虎のような中国」という意味）の著者であるピーター・ナヴァロである。今も対中国の貿易問題の大統領補佐官である。ナヴァロは外交交渉官として中国に対して強硬な立場だと見られている。しかし実際には、現実の落としどころもきちんと探る人物らしい。USTR（アメリカ合衆国通商代表部）代表のロバート・ライトハイザーは、もう用済みになったようだ。

ナヴァロは、カリフォルニア大学の経済学部教授だった人だ。ナヴァロに助言して、「これからは中国の時代になるから、中国研究をしなさい」と薦めたのはチャルマーズ・ジョンソン博士である。チャルマーズについては、この本では説明しない。

このようにして、米と中の関係はこれからも厳しく続いていく。そして、はじめのほうで書いたように、それでも大きくは、中国の世界支配が着々と進んでいく。

日本国は「風の谷のナウシカ」である

では、日本はどうすべきか。

日本について私がこれまでずっと書いてきたのは、日本は2つの大国に挟まれて存在する、小さな国だという理論である。アメリカと中国という大国の間にある国だということだ。かつてはアメリカとソビエトの間にいた。その姿は、まさに宮崎駿が描いたアニメ映画の大作『風の谷のナウシカ』（1984年公開）である。

2つの大きな国、大国に挟まれ、薄い放射能に汚染された空気で苦しみながら生きる「風の谷のナウシカ」こそは、日本である。今もなお、日本国が置かれている厳しい運命である。この見方を土台に据えて、これからも日本人は自分たちが生き延びる道を必死に考えるべきだ。

これ以外の難しい理論は不要である。いくら難しい話をしてみても、そこにはウソや騙しが入ってくる。ここでは私は、勇ましい大和魂の日本男児の国、神国日本などという愚かな考えはとらない。

この「2つの大国に挟まれた国である日本」という考えは、あまりにも単純化された見方であるように見えるかもしれない。だが、私はこの程度の簡潔さと明確さを日本人が持つことが大事だと思う。妙にイキがったり、強がったりする必要はない。

「中国が攻めてくるから、それと戦おう」という考え方も愚かである。尖閣諸島問題の解決法は、田中角栄内閣（1972年。日中国交回復）や福田赳夫内閣（1978年。日中平和友好条約締結）のときに示した見識である「日中の両国が、あの海域を共同開発する」という線にまで再び戻ればいいのだ。そのことを中国政府も望んでいる。それを一方的に打ち壊したのは日本のほうである。

ゆえに、日本に存在する反共右翼言論で、「中国が日本に攻めてくる。だから戦わなければならない」という主張を、ほんの少しでも言い出す人たちとは、私は決定的に異なる。かつ、そうした考えとは、日本国内で闘わなければいけない。

領土を守るために中国と戦争をしなければならないという愚かな考えに扇動されると、国民はとんでもないところへと連れていかれてしまう。彼らは「平和を守るために、仕方なく戦争をするしかない」という巧妙な詭弁で、なし崩しに「戦争だけはしない」という考えを掘り崩してくるのである。

だから、私たちが常に掲げるべき標語は「アジア人どうし戦わず」である。少し詳しく言えば、「何があろうとアジア人どうしで戦わない。戦争だけはしてはいけない」である。また騙されて再び戦争をさせられるのだけは、私たちはなんとしても避けなければいけない。戦争は国家指導者と国民が騙されてするものである。私たちが騙されないように用心

尖閣諸島を奪い合うことの愚。双方に何の利益も無いことを、両国の政治家がよくわかっている

1972年9月28日、翌日に日中共同声明を控え、北京の人民大会堂で酒杯を交わす田中角栄と周恩来（上）。その6年後の1978年10月23日、日中平和友好条約批准のため来日した鄧小平と福田赳夫（下）。

に用心を重ねれば、その危機から脱出できる。

中国もバカではないから、ケンカ（戦争）をしようなどとは思ってはいない。ここでイキがって、反共右翼の人たちの言動にわずかにでも引きずられないように、気をつけてください。

第2章

中国は自立、独立路線を走り続ける

中国を海から締め上げる西側諸国

「まえがき」で述べたように、アメリカとヨーロッパで出来上がった、デモクラシーや自由主義体制と呼ばれる政治システムに対して、今や中国人は皆、大きく幻滅している。とくに先進的な若い人たちがアメリカに嫌気が差し、中国へと戻りつつある。

　これからの中国は、自分の力で生きていく自主独立の路線を歩んでいく。すでに、その蓄えと準備はできている。「欧米から技術を盗むだけ盗んだ。もういらない。あとは自分たちで作っていく」という考えになったのだ。

　今、アメリカ海軍を中心とした西側同盟（ザ・ウエスト）は南シナ海で、「航行の自由作戦」（フリーダム・オブ・ナヴィゲイション）を行っている。中国包囲網を海側から敷こうとしているわけである。

　イギリスは2021年1月に、イギリス海軍の一番大きな（と言っても2隻しかない）空母クイーン・エリザベス号をインド太平洋に常駐させることを決定した。

「英空母、日本近海に派遣へ 香港問題で中国けん制」

英海軍が、最新鋭空母「クイーン・エリザベス」を中核とする空母打撃群を沖縄県などの南西諸島周辺を含む西太平洋に向けて来年初めにも派遣し、長期滞在させることが12月5日に分かった。在日米軍の支援を受けるとみられる。三菱重工業の小牧南工場（愛知県）で、艦載のＦ35Ｂステルス戦闘機を整備する構想も浮上している。複数の日本政府関係者が明らかにした。

日本は、世界有数の海軍力がある英国と連携を深め、海洋進出を強める中国に対抗し秩序維持の姿勢を打ち出す狙いだ。西太平洋で、日本と同盟関係にある米軍や周辺国以外の空母が、継続的に活動するのは極めて異例だ。中国の南シナ海での領有権主張に加え、香港の民主派弾圧に対する英政府の強い懸念が背景にある。露骨な圧力強化だとして中国の反発は必至だ。

関係者によると、クイーン・エリザベス号や打撃群の艦艇、航空機は、自衛隊や米軍と合同演習を実施する見通し。Ｆ35は、米ロッキード・マーチン製で、三菱重工の小牧南工場はアジア太平洋地域のＦ35の整備拠点となっている。

英軍は、朝鮮戦争（1950～1953年）の国連決議に基づき定められた国連軍地位協定により横須賀（神奈川）、佐世保（長崎）、ホワイトビーチ（沖縄）などの在日米軍施設・区域で補給を受けられる。海上自衛隊は、中国への過度な刺激を避けるため、積極的な後方支援に慎重なもようだ。

海自トップの山村浩海上幕僚長は、2019年11月、米国滞在中のクイーン・エリザベス艦上で米英両海軍の制服組トップと会談し、中国を念頭に協力関係を深めると確認した。

クイーン・エリザベス号は、2017年に就役した英海軍史上最大級の艦艇で排水量6万5千トン、全長280メートル。17年12月には、小野寺五典防衛相（当時）が視察した。海自護衛艦「いずも」との共同訓練を提案した。

（2020年12月5日　共同通信）

このように中国包囲網を西側同盟は強化していくつもりだ。ただし、日本は中国を刺激してはいけないという考えから、少しだけ腰が引ける対応となっている。

日本からは、かつて「自由で開かれたインド太平洋戦略」を安倍晋三元首相が提案していた。だが、中国はもうこれらのことを恐れない。軍事的緊張は続くが、核戦争など大きな戦争（ラージ・ウォー）をするつもりはない。

では、中国が自立自主路線をとる意味は何なのか。

今から9年前の2012年（第18回党大会。5年に一度）に、習近平が国家主席として登場して権力を握って以来、「中国の特色ある社会主義」という言葉をスローガンにした。さらに、これの頭に「習近平同志が指導する」という言葉も付いている。このスローガンが、重要なのである。

習近平は権力のトップの座につくと、すぐに腐敗一掃を目標に、5歳年上の王岐山（おうきざん）を中央規律検査委員会書記に任命し、汚れまくっていた共産党の大幹部たちをものすごい勢いで次々に逮捕摘発して、裁判にかけ、激しく6万人くらいを処分した。

その一番上の人物は、上海閥の頭目の江沢民（こうたくみん）、曽慶紅（そけいこう）につながる周永康（しゅうえいこう）だった。周永康はチャイナ・ナイン（トップ9人）の9番目の序列で、党中央政法委員会書記を務めていた。政法委員会は裁判所や警察を押さえつけ、上から監視する力を持つ機関である。周永康は公安警察を率いて恐ろしい人民弾圧を行った。中国国民から本当に嫌われていた男だった。

周永康は、信者が5000万人いると言われる中国のキリスト教（ほとんどはカトリック）を名乗る法輪功を徹底的に捕まえた。法輪功（ファ・ルン・ゴン Falun Gong）信者2万人の臓器を摘出し、闇ルートで世界中に売買していたらしい。そのため、中国共産党はアメリカを中心とする法輪功の団体に激しく非難され続けている。

法輪功は1999年4月25日に、北京の共産党の最高幹部たちが暮らし、かつ執務室もある、中南海（ジョン・ナン・ハイ。天安門の隣地）を1万人で取り囲んで、正座してお経を唱えた。この法輪功というキリスト教と気功術が混ざった、中国に伝来する民衆救済思想の団体には、共産党や軍の幹部たちまで入っていた。彼らはその後、どんどん逮捕されて、非合法化された。

国家主席だった江沢民が、これに対して異常に怯えて徹底的な弾圧を命じたのである。それを残酷に実行したのが周永康である。だから、彼への憎しみが高まっていた。そして、王岐山が周永康を捕まえて無期懲役にしたとき、中国民衆は喜んだのである。

周永康は2007年に司法、検察、公安（警察）、情報部門などを統括する党中央政法

仲間が共産党に殺され臓器が売買されたことに対する、法輪（ファールン）功（ゴン）の恨みは途方もなく根深い

法輪功は、吉林省出身の李洪志（りこうし）（円内）が1990年に創始した。1999年に邪教と定められて以来、拷問、臓器狩りなど様々な弾圧を受けた。現在の活動は日本を含む海外中心で、大紀元、エポックタイムズも法輪功である。古代から中国に伝わったキリスト教の伝統を引く。

委員会のトップに就任して以来、江沢民の命令で日本と中国を対立させるように動いた。上海にある日本総領事館や、デパートに対する破壊活動を先導したのも周永康である。決して、李克強や習近平が行ったわけではない。

２０１５年、汚職の罪で無期懲役を言い渡された。これが、習近平による中国共産党内にはびこる腐敗一掃の最も大きな成果であり、その結果、習近平は権力を固めることができたのだ。

「中国の特色ある社会主義」に隠された秘密

では、習近平が先導する中国の独自、自立戦略とは、どのような内容であるのか。

「中国の特色ある社会主義」という言葉の中に、大きなカギがある。ズバリ言えば、社会主義体制の内部に資本主義的生産様式を大きく認めて、取り込んだということである。この動きは、１９７８年に始まった鄧小平(デンシャオピン)の「改革開放」のときから進められたものだ。

資本主義（キャピタリズム）というコトバは、中国としては絶対に認められないので、「市場経済（マーケット・エコノミー）を導入する」という言葉で経済の自由化を実践した。

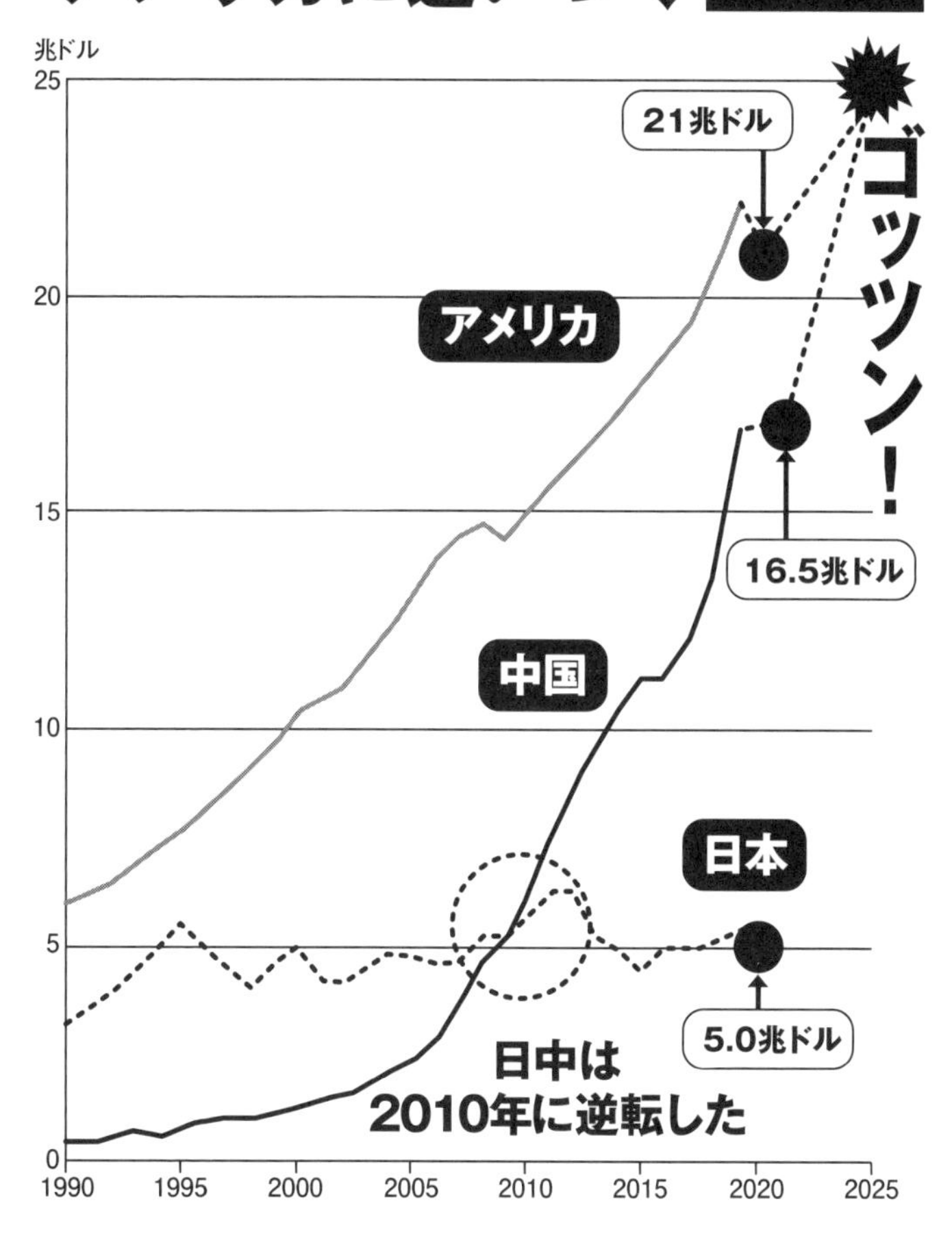

出典：IMF、OECDの資料を基に副島が予測値を算定

その結果、この40年間で中国は巨大な成長を遂げた。今や世界中で、中国の隆盛と繁栄を侮(あなど)ることは誰もできない。

私は、この何年もの間、主張してきたのだが、おそらく２０２４年には、中国は超大国アメリカのＧＤＰを追い抜くであろう。昨年２０２０年には、アメリカは年間20兆ドルのＧＤＰ。中国は16・５兆ドルまで追い上げてきた。日本は哀れなもので５・０兆ドル（520兆円）である。Ｐ77のグラフを見ればよく分かる。

日本のＧＤＰの数値は、この30年間ずっとこんな感じだ。つまり経済成長が、まったくなかったのだ。グラフに描かれるとおり、蛇が横にのたくったかのような数字である。30年も成長がない国、というのがどれくらい哀れであるか。日本国内では誰も議論しない。

これはつまり、ものごとを大きく世界基準で考える能力を、私たちは奪い取られているのだ。

２０１０年に、中国のＧＤＰは日本を追い抜かした。それ以来、中国はみるみるうちに、さらに巨大な成長を遂げた。この間、一体、中国で何が起きていたのかを正確に、偏見（バイアス）なしで研究した学者は、日本にはほとんどいない。欧米白人たちも、この大きな真実を正面から見つめることができなかった。それで今頃になって慌てている。

　私は13年前に、中国の巨大な成長に気づいた。それで、焦って慌てて中国研究を始めた。そして2008年に、『中国 赤い資本主義は平和な帝国を目指す』（ビジネス社刊）という書名の本を出した。この言葉に私の決意と判断がすべて表されている。しかも、この考えは今もまったく変わりはない。


「特色のある社会主義」というのは、前述したとおり、資本主義の仕組みと金融市場での資金の作り方を、硬直した社会主義（生産財の私有の禁止）の中にはめ込んだものである。日本人は知識層も含めて、これをなかなか理解しようとしない。社会主義と資本主義の合体は、古くは混合経済（ミックストエコノミー）と呼ばれた。政府部門（非営利）と民間企業の合体なら第3セクターである。これらと「中国の特色ある社会主義」は違う。

　資本主義的な自由主義の市場システムでないと、商品（グッズ）の価格（プライス）が決定できないという大きな誤解があった。社会主義、あるいは独裁主義経済では、市場（マーケット）の原理が働かないから、商品の価格が決定できない。だから必ず社会主義体制は行き詰まる、と考えられていた。このドグマが、西側自由世界の経済学（エコノミクス）にずっとあったのだ。

価格が決定できるというのは、近代経済学（モダーンエコノミクス）にとって一番重要な概念である。商品の価格の一種が賃金である。労働賃金は、労働力という商品の価格である。労働者の価格も自由市場の原理で決まるという大前提で、アメリカ経済学（古典派（クラシカル）と新古典派（ネオクラシカル）の両方）は発展してきた。とくにアメリカの経済学者たちは、価格は市場が決めるというドグマを死ぬほど信奉して、この１００年間の経済学界をリードしてきた。

ところが、この40年間の中国の巨大な成長を見ると、〝修正された資本主義〟が社会主義制度と合体することで、価格が決定できたことが分かるのである。これが中国の巨大な成長を生んだのだ。

「コーポラティズム」の元祖はムッソリーニ

「中国の特色ある社会主義」を別の角度から見ると、「開発独裁」である。この言葉で語るのが日本人には一番分かりやすいだろう。

この開発独裁という言葉は、１９８０年代から日本の経済学者や政治学者が使い始めた。たとえば、マレーシアのマハティール首相やシンガポールのリー・クワンユー首相、台湾の李登輝総統といった、ずば抜けて優れた指導者が出現して、欧米の進んだ生産技術を導入したり、資源を適切に分配した。国内の人材（人的資源）も上手に適材適所に置いたので、急激に経済成長して後進国から脱していった。

現在でも、フィリピンにドゥテルテ大統領が現れ、インドネシアではジョコ・ウィドが登場した。彼らのような柔軟な思考ができる、優れた指導者たちが開発独裁を推し進めた。これで東南アジアは大成長した。それを中国の鄧小平が真似したのだ。

この「開発独裁」という言葉は、世界基準の学問では「コーポラティズム」と言う。このことを、日本の学者たちも理解していない。コーポラティズム corporatism を「協調主義」や「組合主義」と訳してしまうと、また分からなくなる。「開発独裁」が一番いい。金持ちたちの「個人主義」に対して、共同体（多くの人々）を優先する考えである。

コーポラティズムを一言で言うと、ズバリ1920年代のイタリアに生まれたムッソリーニの思想である。

当時、工場労働者たちのストライキや、農民の大地主に対する一揆のような激しい小作争議（農民運動）が、日本も含め世界中で起きていた。イタリアでは、ついに経営者（資本家）が会社経営をする元気を失うところまで追い詰められた。大地主、貴族たちも追い詰められた。

そこで登場したムッソリーニは、決してソビエト式社会主義の独裁を敷かなかった。ムッソリーニは頭が良かった。社会主義独裁政治をやると、極めて残酷な統制経済となるから、商業や工業をぶち壊してしまう。ムッソリーニは、このことを分かっていたのだ。

だからムッソリーニはローザンヌ学派の経済学者、ヴィルフレド・パレートに学んで、労働者たちの代表、農民運動の代表、宗教界の代表、経営者たちの代表などを政府に集めた。そして、彼らがお互いに協調し合う会議を開かせた。ここで、工場労働者の賃金や農業労働者の日雇い労賃や小作料などの金額を、みんなで決めた形にして、上手に政府が決定した。これがコーポラティズムである。

このイタリアのコーポラティズムを、ケンブリッジ学派の天才的経済学者のケインズが高く評価した。ケインズの先輩で仲が悪かった福祉（厚生）経済学（ウェルフェア・エコノミクス）を創始したピグーという学者も賛同した。

だが、その一方で、ムッソリーニの政治体制はまさしくファシズムである。別名、国家社会主義（ステイト・ソシアリズム）である。ムッソリーニは対外戦争もして領土拡張も行った。これで嫌われた。ムッソリーニが、1920年から始めたこの政治手法を、その横でじっと見て、演説スタイルから何から全て真似したのがヒトラーである。

中国が採用した「開発独裁」路線

実は、このコーポラティズム（開発独裁）こそ、今の中国で採用されている制度思想である。商品価格や労賃の決定も、市場原理半分、統制半分で実際にはできている。資本主義的欲望を野放しにすると、過度の金融バクチに見られるごとく、必ず株価の大暴落のようなものを引き起こす。放っておくと、1杯2000円、5000円、1万円というコーヒー値段が出現してしまうのである。

実際に私は、1990年のバブル（今から30年前）の時、ホテルでコーヒー1杯が2000円したことを覚えている。そのあと、大不況に突入し、コーヒー1杯200円にまで下がった。

放っておくと、過剰な競争や華美な衒示(げんじ)的消費（コンスピキュアス・コンサンプション）、つまり贅沢、見栄を張りつくす過剰な経済行動が生まれてしまう。これは、統制によって規制するしかない。今も東京の下町の銭湯の入湯料は、４７０円で統制されている。スーパー銭湯だったら２０００円でも人々は納得していく。

このように商品の価格が統制されて、かつ自由な競争から生まれる価格体系を、中国は併用して維持している。これは明らかに開発独裁（コーポラティズム）である。

鄧小平は、同じ客家（ハッカ）系華僑の血筋であるシンガポールのリー・クワンユーに直接聞いて、「どうすれば、毛沢東時代の絶望的貧困から中国が脱出できるか」を教わった。シンガポールは、フリーポート（自由貿易港）のイギリス植民地だった。小さい国だが、ここが著しい成長を遂げ、同じことが香港でも起こっていたので、それを真似したのである。

鄧小平は〝赤い資本家〟と呼ばれ、国家副主席も務めた栄毅仁（えいきじん）（１９１６〜２００５）を大切にした。また、台湾プラスチックという台湾最大の製造メーカーを創業した王永慶（おうえいけい）、そしてその盟友である日本の松下幸之助に、「とにかく中国に進出してくれ、何でもするから」と頼んだ。

プラスチックというのは、射出成型機という技術で進化した。テレビでも洗濯機でもプラスチック製になっていった。それまでは黒い粘土のような炭素の粉を、幸之助が奥さん

鄧小平に"開発独裁"の秘けつとやり方を教えたのは、リー・クワンユー（1923～2015）である

1978年11月、改革開放が始まって間もなく、鄧小平はシンガポールへと向かい、リー・クワンユーと会談した。2人とも華僑の中の客家（はっか）の家系だから気が合った。

のむめさんとふたりで真っ黒になりながらこねて、裸電球のソケット、そして二股ソケットを開発して松下電器（現パナソニック）ができたのである。

このようにして、このわずか50年、70年の間に日本の高度経済成長もあった。それらを中国が真似したのは、当たり前のことだ。

中国人が気づいたマルクス経済学の本質的な誤ち

ここで、もう一つ極めて重大な事実がある。それは社会主義の元祖で教祖のカール・マルクスが、ある一点だけは根本的に間違っていたという事実である。

それは、「人間は皆、絶対的に平等である」という考えを、マルクスは分かっていたけれども否定せずにごまかした。マルクスは、すべての労働から平等に、かつ同量の剰余（じょうよ）価値（かち）が生まれる、とした。これがマルクスの社会主義思想の大間違いの始まりだった。

人間の能力は決して平等はない。それを無理やり「人間は生まれながらにして平等だ」と、ジャン・ジャック・ルソーのおかしな思想に従って、マルクスが誤った制度理論を作ってしまったのである。鄧小平から後の中国人たちは、このことに気づいた。ここが、中国が今の大成長を遂げた真の理由である。

つまり、「中国の特色ある社会主義」とは、徹底した人間欲望の肯定である。中国の共産主義（社会主義）は、昔の共産主義の悪を自らかなぐり捨てて、自分たち自身が味わった地獄の体験の中から這い上がったものだ。

今の中国人は徹底的に能力差を認める。全ての人間が現実社会で平等であることなどない、と腹の底から知っている。毛沢東時代の絶対平等主義が、飢餓状況（餓死寸前）の貧困を生んだ（1億人が餓死した）ことを体で味わって知っている。

だから、反共右翼の人たちが勘違いして、「中国共産党の統制と独裁は悪だ」と言い続けるのは愚かなことである。今の中国は資本主義が持っている悪い面と、社会主義の良い面の両方を合体させて、現在の体制を維持している。ただの独裁主義や全体主義ではない。

近代経済学のドグマを打ち破った日本人学者

商品の価格は市場でしか決まらない、という近代経済学（アメリカ経済学）のドグマは、物理学のバーコフモデルを使って数学的に証明したものだ。私たちがコーヒーにクリームを入れてかきまぜると、カップの底に向かってクリームは一点に収斂（コンバージョン）していく。

この物理現象をアメリカ経済学界が商品価格の決定の理論に使った。これをポール・サミュエルソンという男が、難しい高等数学の式に置き換えた。物価はすべての要素を吸収して、最後の一点で収斂するというものだ。

このサミュエルソンの経済学は、新古典派総合（ネオクラシカル・シンセシス）と呼ばれる。これが１９５０年代から80年代にかけて、主流派の経済学として世界を席巻した。日本の大学のすべての経済学部の学生たちは、サミュエルソンの『経済学』を買わされて、教えられた。まるで宗教の経典のようだった。


１９６０年前後に、私の先生の小室直樹先生も、サミュエルソンに学びに、アメリカのハーヴァード大学にフルブライト留学生として渡った。小室先生は、日本が生んだ本当の天才である。しかし、小室直樹の日本における先生であった大阪大学教授の森嶋通夫は、このサミュエルソンと大ゲンカしていた。

森嶋通夫の最大の業績は『マルクスの経済学』（１９７４年刊）である。本当は、森嶋はノーベル経済学賞を与えられるべき天才学者であった。その業績の真の意味は、少しあとのほうで説明する。

ところが森嶋は、自分の敵であるポール・サミュエルソンのもとに小室直樹を送った。小室直樹は数学と物理学がスバ抜けてでき、経済学の特訓も受けた。ところが、サミュエルソンは、小室直樹に博士号を与えず日本に追い返した。

日本に帰ってきた小室直樹は、京大、阪大に行かず、東大にやってきて政治学と社会学を教えた。しかし、冷や飯食いを続けた。唯一、丸山眞男が、博士号をくれた。しかし、東大での職は与えなかった。

キッシンジャーが中国にもたらした衝撃的な成果

森嶋通夫とサミュエルソンは、何をめぐって大ゲンカしたのか。

それはカール・マルクスの『資本論』"Das Kapital（ダス カピタール）, 1864"が持つ最大の謎についての対立であった、全ての人間の労働が、剰余価値（付加価値と同じ。Surplus value（サープラス バリュー））を持つか否かの大問題である。

森嶋は、ずば抜けた能力でマルクス経済学の原理を、ケインズ経済学の真髄と合体し一致させた。このとき、剰余価値（付加価値）を生み出させるのは、有能な人間たちだけであるという真実に到達した。大多数の人間（労働者）は、付加価値（余剰価値）を生まないのだということを大発見し、証明した。

この時に森嶋は、サミュエルソンがケインズの大思想を「総合」として、自分たちアメリカ経済学の新古典派の歪んだ理論の中に無理やり落とし込んで、殺してしまっていることを証明してしまったのだ。

このケインズ思想とマルクス「資本論」の合体理論のすごさを、中国人たちが理解したのである。私は自分の前の本である『今の巨大中国は日本が作った』（ビジネス社、2018年刊）でバッサリと書いた。

森嶋通夫が、マルクス経済学をケインズ経済学の数式と同じものに置き換えた。この式は、1行で言うと「Y＝C＋I」である。

ケインズより前の古典派経済学は、Y＝Mであった。つまりY（もの）＝M（お金）、あるいはY（生産活動）＝M（貨幣量）という形の式である。これをケインズはY＝C＋I

ケインズの有効需要（エフェクティブ・デマンド）の原理の真実

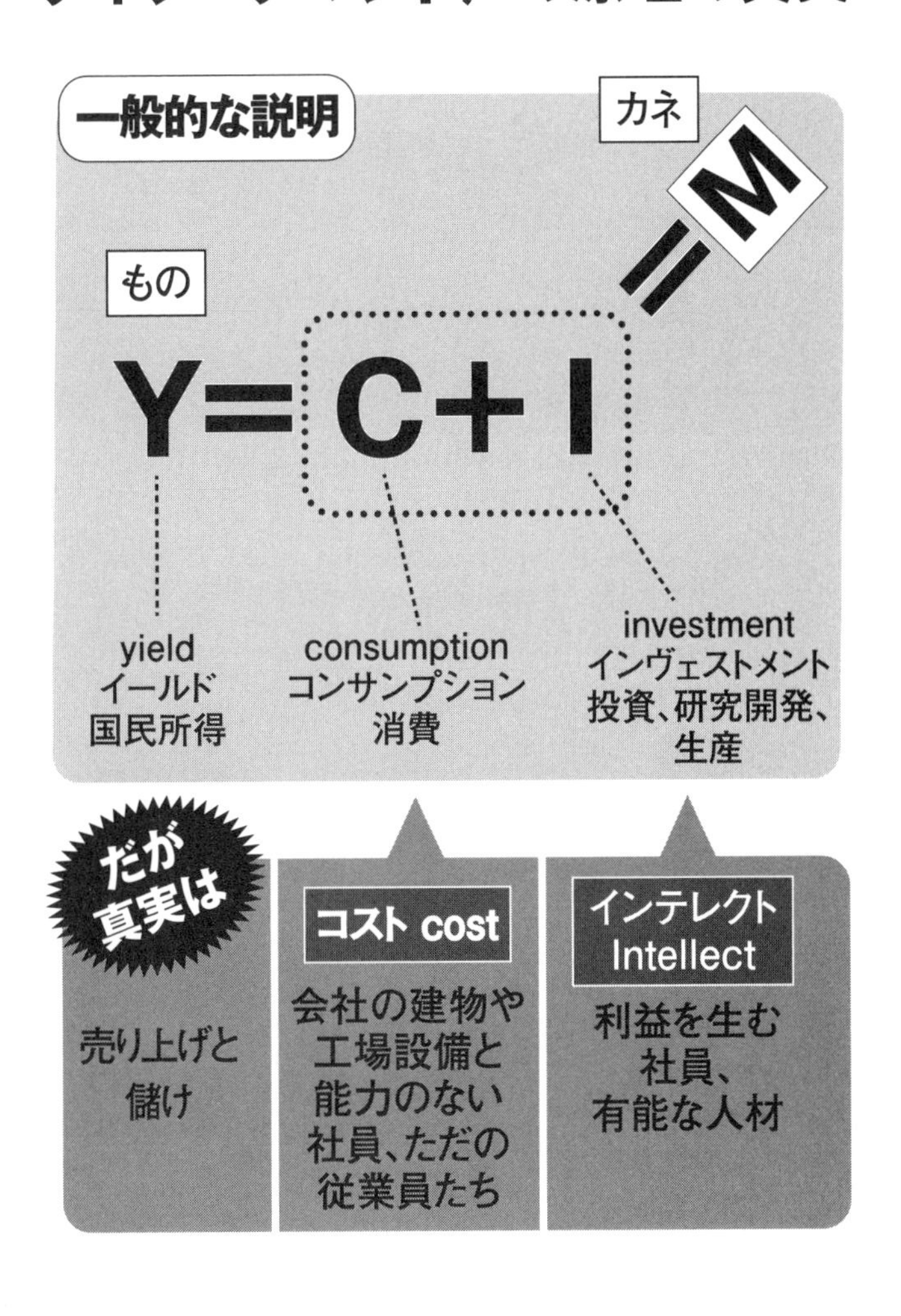

の形に発展させた。Yとは Yeild（イールド）、つまり人間（人類）の生産活動のすべてである。これは、個人や企業や国の全収入である。もっと分かりやすく言えばＧＤＰのことだ。

そして右辺の「Ｃ＋Ｉ」のＣはConsumption（コンサンプション）、つまり消費と言われるが、本当の真実はコスト（Cost　経費）のことである。

工場の設備とそれを動かすための電気、ガス、水道料金などのような経費、およびそこで働く労働者（従業員）たちの賃金までを含めてコスト、即ち必要経費なのである。そして「Ｃ＋Ｉ」のＩは、能力のある社員という意味なのだ。これを教科書ではインベストメント（投資）とする。だから、経済学者たちでさえ、真実が分からないのだ。

ＩはIntellect（インテレクト。優れた能力）である。分かりやすく言えば、リサーチ＆ディベロップメント（Ｒ＆Ｄ）で、「研究開発費」のことである。このＩは、能力のある社員であり、新商品、売れる商品を作ることのできる社員たち。技術革新ができる者たち。すなわち優秀な人間たちという意味だ。

このケインズの式に合わせて、マルクス経済学を読み替えて作り直したのが、森嶋通夫

森嶋通夫（1923〜2004年）がケインズの式に向かってマルクスの『資本論』を数式で移し替えた

X=C+Nを作って、
ケインズのY=C+Iの式に合わせて当てはめた

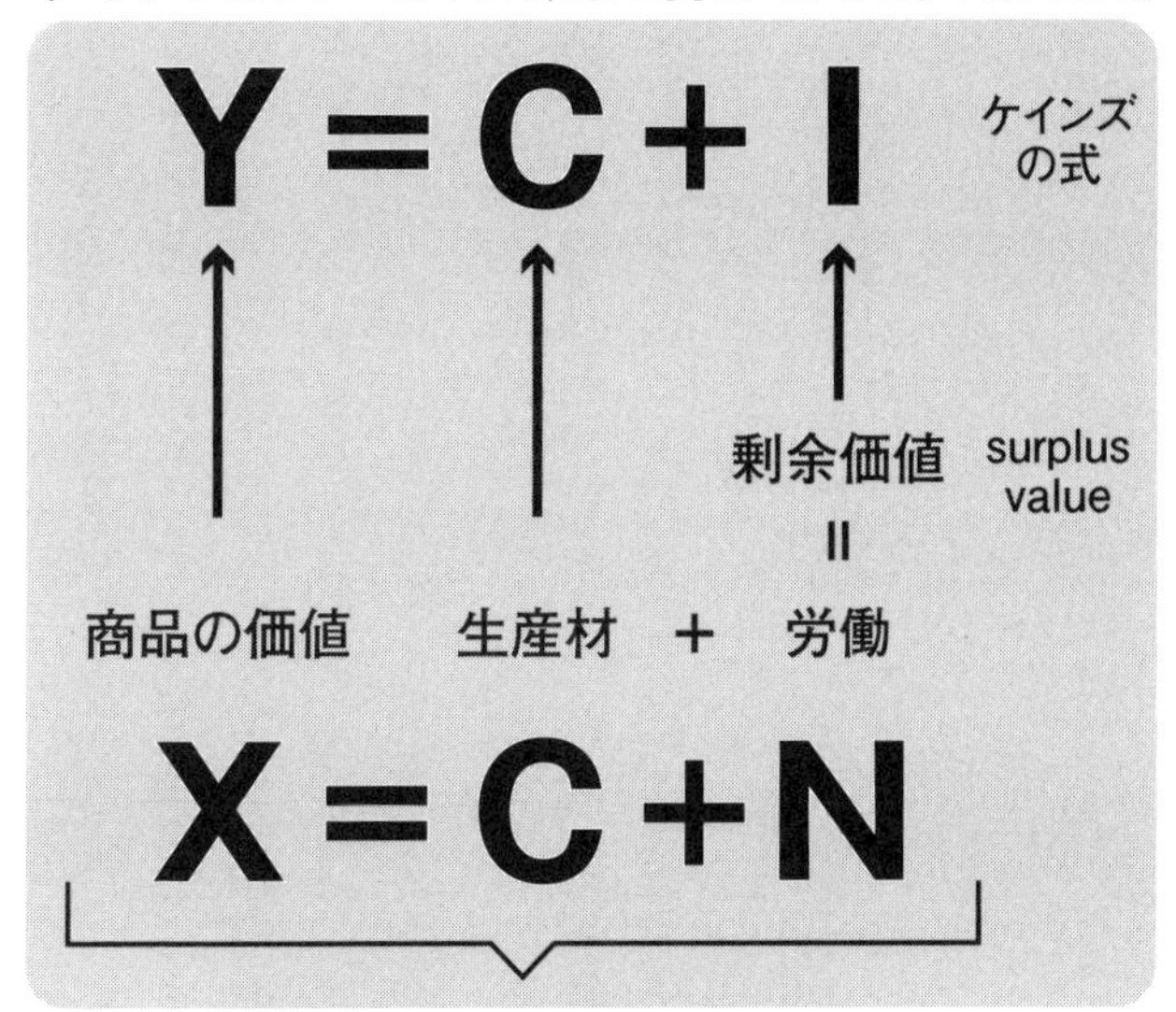

『資本論』の骨格である
マルクスの基本定理

マルクスの基本定理の原作者は、置塩信雄神戸大学名誉教授（1923〜2004年）である。森嶋通夫が、公然とケインズ理論と合体させた。凄まじい業績だ。

である。
そして、アメリカに来ていた中国の超優秀な若い学生たちが、この森嶋の理論を知って死ぬほど驚いた。彼らはマルクスの『資本論』を、全巻丸暗記できる能力を持っていた。だが、アメリカに来て、ブルジョア経済学、すなわちアメリカ経済学と、自分たちの頭をどう接合していいか分からなかった。その2つを接合する種明かしを、森嶋の本『マルクスの経済学』がやってくれていた。このことを、私は前に本『今の巨大中国は日本が作った』に書いたのだ。

その覆い隠されていた恐るべき秘密を知ったときに、中国は巨大な成長を遂げたのである。このとき驚喜した最も優秀な学生の一人が、現在の中国共産党序列4位の王滬寧（おうこねい）である。さらに、このことをもっと大きな目で見たら、ヘンリー・キッシンジャーが作った、中国の優秀な人材をアメリカで育てるというプロジェクトが生み出した、衝撃的な成果と言える。

働く人が皆、余剰価値を生み出せるわけではないという原理

ここで、マルクス経済学、即ちマルクス「資本論」の何が大間違いであったかが、はっきりした。社会主義を大成させたマルクスは、人間の能力に違いがあることを、どうしても認めるわけにはいかなかったのだ。これがマルクスの致命的な大間違いとなった。それが、そのあとのロシア革命や中国革命の悲劇の根本的と原因となったのだ。

私は、このようにはっきりと言う。人間の能力が平等だという思想が、その後、どれほど人類に災いをもたらしたか。「努力して勉強すれば、みんなできるようになる」と言うが、そんなことは断じてない。いくら勉強しても、できない人はできない。現実の人間は皆このことを知っている。知っているのに、それは学校教育におけるタブーとして、言ってはいけないことになっている。

マルクスの決定的な誤りは、どんな人間の労働も余剰価値（Surplas Value　サープラス・ヴァリュー）を平等に生む、としたことだ。実際の真実は、優れた能力がある者の労働しか余剰価値を生まない。

サープラス・ヴァリューなる理屈は、普通は、資本家が労働賃金として労働者にわずかな賃金しか払わないで、残りを盗んだ利益のことだとされる。200円で仕入れて400円で売る、これが資本主義の原理である。利益の源泉は人間の労働であるというのも正しい。しかし、余剰価値を単純労働者たちまでが生み出す、というのは間違いである。

人の労働から搾取（exploitation　エクスプロイテーション）するというのは、決して泥棒行為ではない。時給1200円で働くと納得し、契約して労働者は働く。だから、利益を抜くのは泥棒ではない。経営者（資本家）は、時給1200円の人よりも5倍も、10倍も売り上げと利益を上げる。それでも、全体としての企業経営は厳しいものだ。それが資本主義である。

大事なのは余剰である。この余剰（サープラス）という言葉は、過剰生産とか過剰設備という意味である、いくら作ってもモノ（商品）が売れない。売れ残って在庫となり、倉庫が溢れかえる。

そこで、2割、5割、8割引きしても、それでも売れない。投げ売りするしかない。それでも売れない。モノが余りまくっている。これが資本主義の現実である。

そして、なんと最後の余剰は人間である。人間が大量に余ってしまっている。つまり、大量の失業者が生まれる。この失業が最大の問題なのである。

賃金という価格の決定の設定が、資本主義の世界ではうまくいかない。このことに気づいたマルクスは偉かった。ケインズも気づいていた。ところが新古典派の経済学者たちは、失業は存在しないと今も信じている。なぜなら市場の原理に従うから、失業はすぐに解決するのだと考えてきた。

ところが、この20年間でアメリカの白人労働者たちの間で大量の失業者が発生した。アメリカ国内に仕事がない。「このことに気づかなかった」と、今頃になってアメリカの経済学者たちが反省している。その代表がポール・クルーグマンである。クルーグマンは前出したポール・サミュエルソンの愛弟子である。彼らは「自分たちはバカだった」とはっきり認めざるを得なくなっている。

国内から工場が世界中に移転することで、安い商品を生産する。１００円ショップの商品が増える。だが、労働者たちは工場と一緒に海外に移転できない。そのため、大量の失業がアメリカで発生した。

特に白人の中産階級から下の人々の失業が激しい。だからドナルド・トランプが大統領として2016年に登場したのである。彼は、失業している白人労働者たちに職を与えることに本気だったのだ。

人間の能力にこそ格差があることを認めた中国

繰り返すが、人間の能力には違いがある、格差がある。だから値段（賃金、収入）も違う。このことをはっきり認めているところが、今の中国のすごさだ。優れた人物をどんどん登用して、高く評価する。そして高収入を与える。日本ならば大企業の役員でも年収は3000万円程度なのに、中国では優れた人材ならば25歳で3000万円くらいの年収が保証される。

つまり中国は、欧米と同じ世界基準になってしまったのだ。剰余価値を生む人間だけを高く評価するという、徹底した能力社会になった。

繰り返すが、マルクスの大間違いは、すべての労働者が平等に剰余価値を生むと『資本論』で書いてしまったことだ。剰余価値率（搾取率、エクスプロイテーション・レイトexploitation rate）とは、ブルジョワ経済学で言う利益率と全く等しい。ところが、この剰余価値率（利益率、プロフィット・レイト profit rate）の計算で、「全ての労働者が等しく剰余価値を生む」とマルクスが言ったのが巨大な誤りだった。

先ほど述べたように、「Y＝C＋I」の式で、Cは、ただの労働者である。会社から見れば経費（コスト）である。彼らは剰余価値を生まない。「C＋I」のIである優秀な労働者が剰余価値を生むのである。ここを言い切らなかったのが、マルクス最大の誤りだ。

森嶋理論に基づいて、いまの中国の指導者たちは、このことにはっきりと気づいた。だから貧困からの脱出ということは、能力がある人間を中心に置いて、大切にする社会にするということである。すなわち「中国の特色ある社会主義」を一言で言えば〝不平等主義〟である。〝能力差主義〟である。

これを中国が大きく認めているということを、日本の反共右翼の人たちも知らなければならない。もっと言うなら、「きれいごとを言うな」という原理である。この自主独自路線を中国は貫き、自前で新たな技術を作り出し、アメリカをはじめとする西側諸国に頼らずに、進んでいくのである。

第3章

本気で
アメリカを追い落とす
中国の
最先端技術戦争

中国最先端の技術獲得はどのように始まったのか？

この章では、中国の①半導体、②核開発、③量子力学の3つの先端学問（サイエンス）の最新の動向を追いかける。

1950年代の中国の②核兵器の自力保有を理解し、それと重なる③の量子力学で、最先端の問題を中国の天才たちが解きつつある。その結果、アメリカとの技術の争いで、おいて量子「暗号」通信まで凌駕（りょうが）し、アメリカと核戦争をしても勝てる状況になっていることを、説明していく。

遠藤誉女史が書いた『「中国製造2025年」の衝撃　習近平はいま何を目論んでいるのか』（PHP研究所）という本は、凄（すご）い本である。日本人に中国のテクノロジーと先端学問の実情を余（あま）すことなく教えてくれている。

この本を読まないで、いまの中国を知ることはできない。2018年12月に出版された。この本の凄さを前述した①半導体、②核開発、③量子力学の3つに大きく分けて、この遠

遠藤誉(えんどうほまれ)女史は偉い。さすが理系だ。核物理学も量子力学の先端問題をもきちんと分析できている

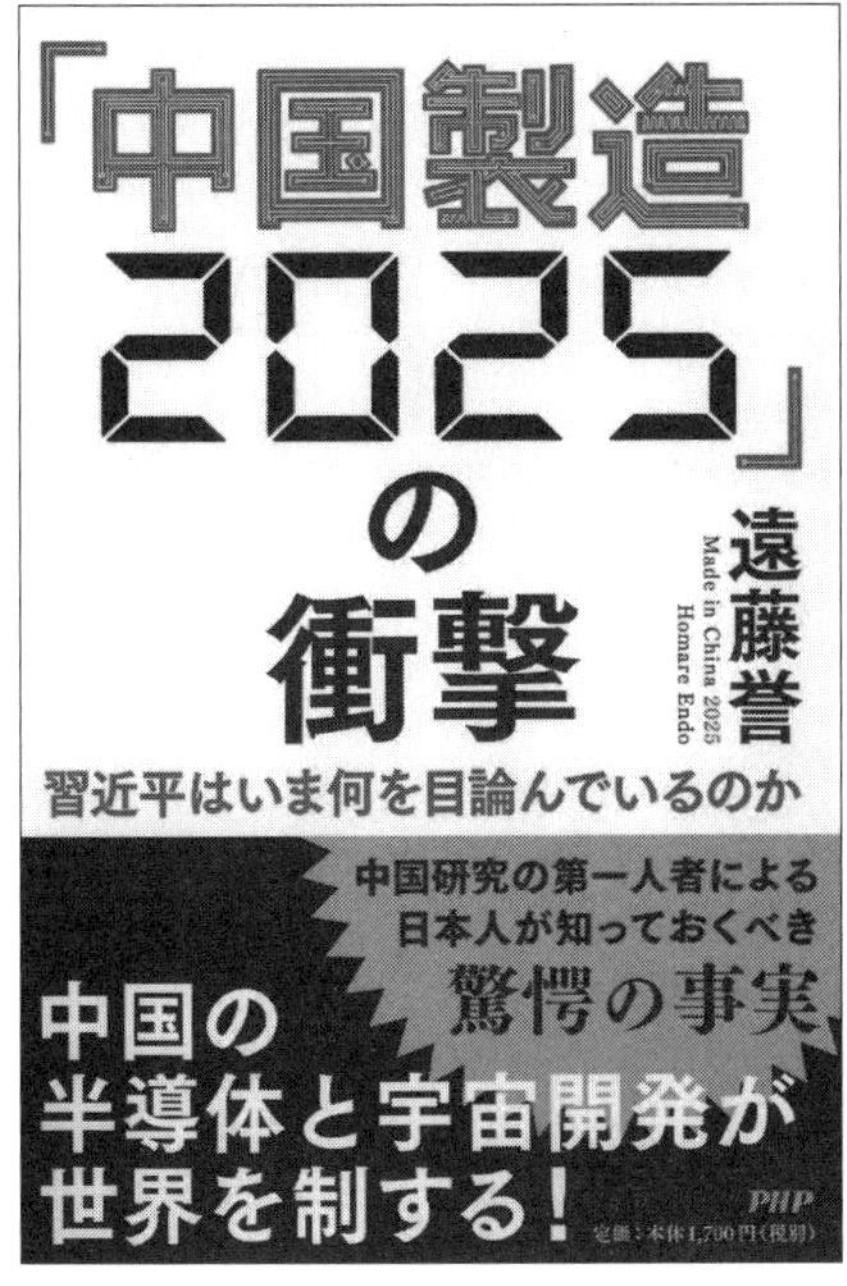

1941（昭和16）年、中国吉林省長春市生まれ。国共内戦中の激戦「長春包囲戦」を生き延び、1953年に帰国。筑波大学名誉教授、理学博士。中国社会科学院社会学研究所客員研究員・教授などを歴任。『卡子（チャーズ）　中国建国の残火』（朝日新聞出版）、『毛沢東 日本軍と共謀した男』（新潮新書）、『米中貿易戦争の裏側 東アジアの地殻変動を読み解く』（毎日新聞出版）など多数。

銭三強（チェン・サエチァオ）、1913〜1992）

浙江省生まれ。通称"原爆の父"。彼も「両弾一星功労勲章」を受章。1936年、清華大学卒業。翌年、パリ大学キュリー研究所に留学し40年、博士号取得。マリー・キュリーの娘、イレーヌ・キュリーの下でウランの核分裂に成功。48年に帰国後、56年にソ連で研究。64年、中国初の原爆実験に成功した。67年には水爆の実験にも成功した。92年、北京にて病死。

楊振寧（ヤン・チェンニン、1922〜）

安徽省生まれ。1942年、西南連合大学卒業後、清華大学で修士号取得。45年、シカゴ大学に留学し、エンリコ・フェルミに師事。49年からプリンストン高等研究所、65年からニューヨーク州立大学教授。57年、「パリティ対称性の破れ」の功績により、中国人初となるノーベル物理学賞受賞。2003年中国に帰り、翌年54歳年下の大学院生と結婚。15年アメリカ国籍を捨てて、中国国籍に戻った。

3. 量子力学

潘建偉（パン・ジァンウェイ、1970〜）

浙江省生まれ。通称"量子の父"。1987年、中国科学技術大学に入学し修士号を取得。ウィーン大学で量子力学の権威、アントン・ツァイリンガーに師事し博士号取得。2001年、中国科技大教授に就任。16年、世界初の量子通信衛星「墨子暗号」を打ち上げ、翌年、北京―オーストリア間の量子通信に成功した。20年12月、76光子量子コンピューターのプロトタイプ「九章」の構築に成功した。

陸朝陽（ルー・チャオヤン、1982〜）

浙江省生まれ。2000年、中国科学技術大学に入学し潘建偉に師事。11年、ケンブリッジ大学で博士号取得。帰国後、28歳で中国科技大教授に就任。18年、潘建偉と共に世界初となる18個の光量子ビットのもつれに成功。19年、日本以外のアジア諸国の物理学研究で突出した貢献を成し遂げた若手科学者を表彰する「仁科アジア賞」を受賞。

遠藤誉著『中国製造2025の衝撃』の主な登場人物

1. 半導体

趙偉国（ジャオ・ウェイグオ、1967～）

紫光集団CEO。通称“半導体の虎”。両親が文革で右派として糾弾され、追放された新疆沙湾県の小さな村で生まれた。1985年、清華大学電子工程系に入学し、93年大学院に進学するとともに紫光集団に入社。胡錦濤の息子胡海峰（こかいほう）と親交を深め、2009年社長に就任。2020年、フォーブス・チャイナ社の中国富豪ランキング358位。

尹志尭（イン・ジーヤオ、1944～）

中微半導体（AMEC）代表。北京生まれ。1962年、中国科学技術大学化学物理学系に入学するも文革のため68年春に卒業。80年、米カリフォルニア大学ロサンゼルス校に入学し、博士号取得。84年インテル入社。2004年上海に帰りAMECを設立。20年8月、フォーブス・チャイナのベストCEOで30位に選ばれる。

2. 核開発

銭学森（チェン・シュエセン、1911～2009）

浙江省生まれ。母方の祖母は日本人。“中国航天の父”“ミサイルの父”“自動コントロールの父”“ロケット王（毛沢東が命名した）”など数々の異名をとる。1934年、交通大学上海校（現上海交通大学）卒業後、39年、カリフォルニア工科大学で博士号取得。航空工学の権威セオドア・フォン・カルマンに師事。原爆開発の「マンハッタン計画」に参加した。55年に帰国後、東風、長征などのミサイル開発を指揮。99年、核及び宇宙技術開発で功績を評価され「両弾一星功労勲章」が授与された。

藤本に沿って解説してゆく。

その前に、電気・通信・技術のフロンティア（最前線）の、コンピュータ、スマホに欠かせない①半導体（セミコンダクター）の自力保有を、中国人技術者たちが、どのように達成したかを説明してゆく。

中国共産党序列第5位の王滬寧（おうこねい）が、中国の技術革新のロードマップである「中国製造2025」を、発表をしたのは2015年の5月であった。その後、王は2018年8月に、一度失脚した。

「中国製造2025」を発表したことで、アメリカがコトの重大性を察知して、騒ぎ出した。アメリカ政府の対（たい）中国戦略の学者、研究者たちに、これが①半導体、②核開発、③量子コンピュータの3つの先端分野での、中国の総合戦略であると見抜かれた。このために、王滬寧（ワンフーニン）は不用意にアメリカ側にバラしたとして叱られたのだ。

「お前の考えが足りなかったから、アメリカに気づかれた。だから、トランプがハイテク（知財）戦争と貿易戦争（トレイド・ウォー）をしかけてきたじゃないか」ということである。これが、米中貿易戦争の発端となった。このため、王はいったん失脚して自宅謹慎（きんしん）学習となった。202

海亀族（ハイグイ）の代表格、1957年にノーベル物理学賞を受賞した楊振寧（ヤンチェンニン）（98歳）。妻は54歳年下

シカゴ大学で、“長崎原爆”を作ったエンリコ・フェルミに師事し博士号を取得。当時大学院生の翁帆（ウェンファン）（44歳）と2004年に結婚。帰国して2015年にアメリカ国籍を捨て中国国籍を取得。銭三強 **2-1** に核の製造法を教えただろう。

０年に復帰した。

　中国政府は当初、トランプ政権からの猛攻撃で、動転して、ひっくり返りそうになったが、国有企業のＺＴＥ（中興通訊）が、アメリカの知財を大量に盗んでいた。習近平は電話口でトランプに、「ごめんなさい。許してください」と謝り、10億ドルを支払うことで収拾した。中国政府は態勢を立て直して、アメリカに対し戦略的対応をとり、２０１９年７月から反撃に出た。


　２０１７年末の時点で、中国に帰国した留学生の数は２３１万人に達した。海外で学び中国に戻ってきた学生のことを、海外から帰ってきたという「海帰」と発声が似ていることから「海亀族」と呼ぶ。彼らは、「帰って来るなら、いい地位につけて待遇をよくする」と、約束された。そして、「ヨーロッパやアメリカで学んだ知識を中国で生かせ」と言われた。これと、２０１３年に習近平がぶち上げた一帯一路計画が重なり、中国は様々な製品を内製化するようになった。

　私が前作『全体主義（トータリタリアニズム）の中国がアメリカを打ち倒す』（２０１９年刊）でも書いたように、ファーウェイは①の半導体の外国企業からの調達を止められ

海思（かいし）（ハイシリコン）を率いる何庭波（ホウティンボー）（右、51歳）。ファーウェイから2004年に子会社として独立したハイシリコンが、民間企業としての中国製の半導体として国営紫光（しこう）集団と争う

任正非（レンジャンフェイ）（左、76歳）と何庭波は、袂（たもと）を分かったいまでも同志的つながりがある。2人は、私たちには工程士（技術屋）の誇りがある、と言う。

ピンチに陥った。だが、それにあらかじめ備えて、2004年からファーウェイ（華為）が子会社のハイシリコン（海思）に、先回りして中国製の半導体を作らせていたので、ファーウェイは5G（ファイブ・ジー）の闘いで、敗れることはなかった。6G（シックス・ジー）戦争でも負けないだろう。

習近平は、ファーウェイがアメリカ政府からどれだけいじめられても、ファーウェイを直接支援しなかった。それよりも習近平は、高性能の半導体を国内で自力製造できることが、中国の国家戦略にとっての死活問題であると見抜いていた。そのために習近平は、自分の影響下にある、国有企業に近い紫光集団に、半導体の自主製造能力を持たせることに心血を注いだ。米中技術戦争の本当の戦場は、こっちである。

すでに2012年段階で、西安に韓国のサムスンが大きな半導体の工場を作っていた。これはどこにも書いてないが、中国に進出したサムスンが、紫光集団という清華大学系の企業に、最先端技術を分け与えるためだ。西安は、習近平の父の習仲勲の出身地である。

韓国は、表面上はアメリカの属国、家来、子分のふりをしているが、中国にくっ付いて生きていくことを決めたということである。もうすぐ韓国からの米軍が撤退するだろう。

サムスンの李健熙（イゴンス）会長は、２０２０年10月に亡くなった。彼はアメリカからヒドい目に遭った。自身は捕まりはしなかったが、息子は捕まった。やはり日本のソニー、日立、ＮＥＣ、松下やトヨタと同様、アメリカで生み出した利益は全部、アメリカに置いていけ、になった。

サムスンが、アメリカからどれぐらいヒドい目に遭ったかを、日本人は知らない。今もアメリカの手先である韓国の検察庁の司法官僚組織から、いじめられている。それでも、今の韓国国民５３００万のうちの２割を、おそらくサムスンが食べさせているだろう。

中国は自力で半導体を製造できるのか？

私は①の半導体（セミコンダクター）が、現在の主要国による世界的な技術戦争（競争）で重要であることは分かっている。しかし、ＩＣ（アイシー）（集積回路）と半導体がどう違うのか、と自問してみると分からない。この点を遠藤誉女史は、日本語で言うところの集積回路（Integrated Circuit 中国語では集成電路）、つまりＩＣを著書『「中国製造２０２５」の衝撃』の中で、次のように定義している。

「トランジスタ、ダイオード、抵抗コンデンサなどの電子部品を二つ以上集積して、元素半導体であるシリコンあるいは、化合物半導体でガリウムヒ素からできている半導体基板の上にまとめたもの、これをＩＣという」

このように、私のような文科系人間では分からないことを、しっかりデフニション（定義）してくれている。物理学者でもある総合知識人の理系の遠藤女史の凄さである。私は、この本から学べるだけをたくさん学んだ。今の中国の理科系の各分野の研究者の最高峰の人たちのことを、この遠藤本で丸々全部を網羅して、大きく理解できた。この本は素晴らしい本だ。

遠藤女史が、これほど重要な本を日本人に向けて書いているのに、この本に注目して、熱心にここから「中国の最前線（フロンティア）」を習得する日本人の知識人がいない。これは日本国の危機である。今の日本には、世界基準で物事を考える能力のある者が、ものすごく減っている。アメリカによる敗戦後の日本人洗脳は、ものすごいのだ。

半導体をたくさん組み込んだ最先端製品をつくって、最先端の兵器にも組み込むこと。それをスマホなどの先端産業に、どんどん投入していけるか否かが、アメリカと中国の戦い（競争）の最前線だ。半導体のファブレス（組立工場）であるＴＳＭＣ（台湾積体電路製造）のような、半導体を製造している台湾企業を、どちらが取り込むかという戦いを、今、米中は激しく争っている。

〝半導体の虎〟と呼ばれている紫光集団のＣＥＯ 1-1 趙偉国が、２０１６年に中国大手の国有半導体メーカー「ＸＭＣ」を買収した。こうして誕生したのが中国最大のメモリメーカ「長江ストレージ」で、ここがフラッシュメモリの技術を持っている。

また、1-2 尹志尭（１９４４年生）が、半導体の製造装置で世界トップレベルの技術を、アメリカから持ち帰った。

アメリカの「ＮＶＩＤＩＡ」が、孫正義が手放した半導体の重要な基本特許の一部を持つ「Ａｒｍ」を吸収合併した。買収金額は４兆円だ。

ただ、なぜＮＶＩＤＩＡというファブレス（組み立て）メーカーが買うのか。その後ろに中国がいるという話がある。

さらに、東芝のフラッシュメモリが欲しい韓国のＳＫハイニックスが、東芝に資本家参加した。その後ろにも、中国がいると言われている。

魏述然（ぎじゅつぜん）という男が作った「ＲＤＡ Microelectronics（鋭迪科微電子（ルイディ））」も、２０１４年に、紫光集団の 1-1 趙偉国ＣＥＯが買収した。このように、中国は自国製の半導体を猛然と追究するようになった。習近平の国家戦略である。

ＲＤＡが設立されたのは２００４年で、上海市浦東（プードン）区の張江（ジャンジアン）ハイテクパーク内に作った。私の前作『全体主義（トータリタリアニズム）の中国がアメリカを打ち倒す』（２０１９年刊）でも触れた西安にある、サムソンからの技術が入った紫光国芯（こくしん）を含め、この流れで中国の半導体自力生産路線が加速した。

このようにして、「長江ストーレッジがＮＡＮＤ型フラッシュメモリを作っている」と言われるが、ＮＡＮＤ（ナンド）とは「Not AND」という意味だ。「YES or NO」の結果を出せるのが電子回路だ。

コンピュータに用いられる「YES or NO」の２進法とは違う。電子回路は、「ＹＥＳ ｏｒ ＮＯ」のどちらかだ。ＮＡＮＤは、その「どちらかでもない」という意味が入って

中国の半導体開発の頭脳である尹志尭（右、76歳）。紫光集団を率いる趙偉国（左、63歳）。このふたりが中国製の半導体を自立させた

尹志尭はカリフォルニア大学ロサンゼルス校で博士号を取得し、1984年にインテルに入社。2004年、AMEC（中国半導体設備有限公司）を立ち上げ現在は会長。趙偉国は1985年清華大学を卒業。1993年に紫光集団に入り、2009年に社長。買収を繰り返して同社を成長させ、“半導体の虎”と呼ばれる。

いる。私の考えでは、中国人は「AかBか」のレベルを超えたのである。

ファーウェイの誕生で中国の命運が決まった

中国の半導体製造業の発展は、ファーウェイ社を抜きにしては語れない。

人民解放軍の近代化が、1982年から始まった。翌年、工兵部隊が削減された。この工兵隊に所属していた当時39歳の任正非（じんせいひ）（1944年生）も、そのために職を失ってしまう。

そこで、任は深圳に来て、南洋石油で物流の仕事に就く。仕事に不満があった任は、1987年に2万1000元（30万円）の資金をかき集め、ファーウェイを設立した。翌年、社長となり、以来今に至るまで陣頭指揮を執り続けている。

このように任正非は、軍をリストラされたのちに会社を立ち上げて、電子部品のセールスや配線業者をやり、そこから這い上がったのだ。だから、この1982年に始まった人民解放軍の100万人削減というのは非常に大きかったのである。

他の中国専門家は書かないが、同じ年に習近平の父、習仲勲（ちゅうくん）が息子である習近平に「人

サムスンもSKハイニックスもTSMCもマイクロンも、ファーウェイへの電子部品(デバイス)の供給、輸出額が大きい

2020年上半期半導体売上トップ10(単位:100万ドル)

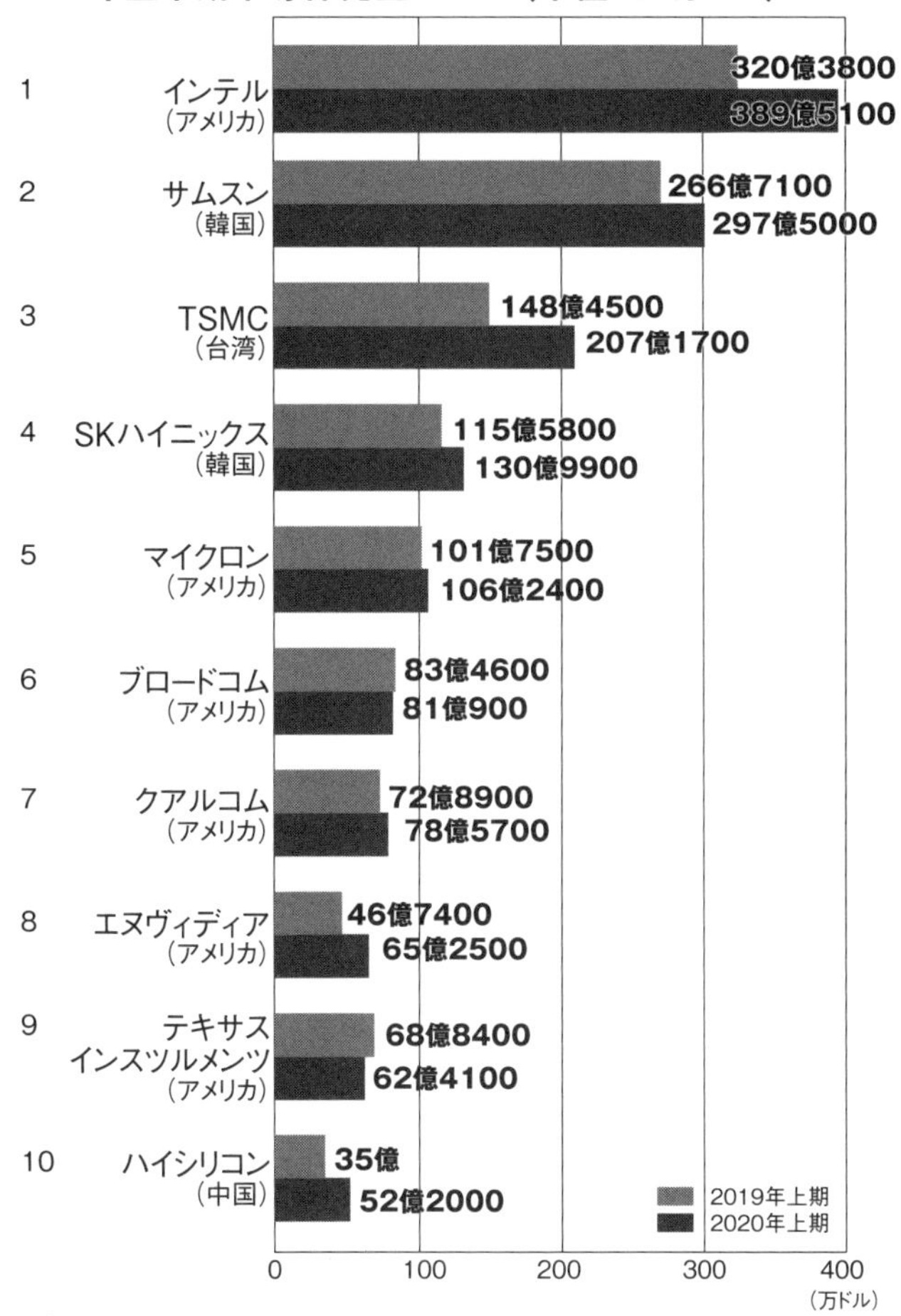

出所:Company reports, Ic insights' Strategic Reviews databese

民解放軍の職から離れろ」と言った。この頃、習近平は父、習仲勲の同僚で当時、中央軍事委員会にいた耿飈（こうひょう）という副総理や国防部長を務めた政治家、軍人のカバン持ちをしていた。

当時29歳だった習近平は軍を離れて、田舎である河北省の副書記を務めた。

当時行われたのが「軍民転換」である。簡単に言えば軍事技術を民間に転換せよということだ。遠藤誉女史によると、軍事兵器工場は全て内陸部にあったという。武漢や洛陽である。

それらの兵器工場を、1980年代に自動車企業にどんどん変えていった。鄧小平が外資をどんどん導入し、外国の資本と51対49％で合弁会社を全国に設立した。それが広州汽車や東風汽車になった。これらの内陸部が2000年代からは、半導体会社に転換していった。日本人は「改革開放」と言うと、沿岸部に目が行きがちだが、内陸部で先端産業が次々に育っていた。中国大陸の内陸で起きていたことが、「軍民転換」という中国の国家戦略だったのだ。

軍をリストラし高度産業育成という国家戦略に変えるということは、戦争中心の政治をやめたということである。国民を食べさせて、貧困から脱出させて豊かな国を目指すために、中国企業を世界的企業に育てる方向へと転換した。

上海ではフォルクスワーゲンと組んで、3大国有メーカーのひとつ、①上海汽車が設立された。武漢に設立されたのが、3大汽車メーカーの②東風（トンプー）汽車だ。そして残る3つ目の③第一汽車の本拠地は吉林省の長春である。トヨタやホンダは、広州ホンダとか広州トヨタという形で後に続いた。

日本のスズキ自動車の鈴木修が偉かったのは、ずっと中国とくっついて一緒に小さな軽自動車づくりを、中国でやったことである。だから中国は、スズキを大事にする。それに対して、トヨタは80年代に逃げた。そのため、後にもう一回中国に進出するときに、トヨタは非常に苦労したといわれる。

スズキは、航空宇宙領域の軍事技術を扱う貴州（きしゅう）航空工業とも関係がある。

このように中国では、そうした最先端技術を生産する企業が内陸部の省にある。

中国核開発の秘密

中国の②核兵器の自力での保有は、次のようにして始まった。

1964年10月16日に、中国で原爆の実験が成功した。原子爆弾（アトミック・ボム）の実験に成功した、ということは、核兵器（ニュークレア・ウェポン）を保有した、ということである。あとは、それを敵国に撃ち込むための運搬（デリバリーシステム）の道具である、弾道（バリスティック・ミサイル）を持つことだ。

実験の成功に大きく寄与したのは、〝中国原爆〟の父と呼ばれる 2-1 銭三強と、〝宇宙ロケットの父〟と称される 2-2 銭学森、そして物理学者の 2-3 楊承宗の3人である。フランスに留学し、最先端の知識を得た研究者たちだ。

実験は大気圏内で、地下実験はまだあとだ。これと同時に、宇宙ロケットを打ち上げる実験を続けた。それを実行したのが銭学森だ。〝航空工学の父〟と呼ばれたセオドア・フォン・カルマンから習った。この2つを合わせて、中国が核兵器を持ったということになる。

“中国の原爆の父”と呼ばれた銭三強(1913〜1992)と、“中国のキュリー夫人”との異名をとる妻の何沢慧(1914〜2011)

ふたりは清華大学のクラスメートだった。銭は毛沢東に登用され、中国の原爆開発を一手に任された。

第1発目の実験は秘密になっているが、私の知識では、甘粛省の酒泉市の郊外から打ち上げ、かつての楼蘭、いまの新疆ウイグル自治区の東部の砂漠に落としたと思う。楼蘭は、唐の帝国の河西回廊の西端の都市、敦煌から西へ300キロメートル行ったところで、今は何もない。

今も、中国航天など中国の宇宙、ロケット産業は、酒泉からロケットや宇宙船を打ち上げている。中国の地下核実験は、四川省の山奥の、チベット自治区との境界あたりでやったようだ。

P107に既出した **2-4** 楊振寧は、1957年にノーベル物理学賞を貰っている。

2-4 の楊振寧がアメリカにいて、1950年代に、フランスから中国に帰っていた **2-1** 銭三強に、原子爆弾の製造の知識と情報を教え続けただろう。1950年（朝鮮戦争）までは、中国はアメリカやフランスと同盟国（ユナイテッド・ネイションズ）、即ち「連合（諸）国」である。だから、アメリカとフランスは、中国（蔣介石の国民党政権）に、先端の軍事技術も教えて与えたのだ。

銭学森（チエンシュエセン）（1911～2009）は“宇宙ロケットの父”“ロケット王”と呼ばれた。師匠はハンガリー系ユダヤ人で「航空工学の父」、セオドア・フォン・カルマン（1881～1963）だ

銭学森も清華大卒。マサチューセッツ工科大学に留学し、カリフォルニア工科大学で博士号を取得した。そこでカルマンに師事。帰国後ソ連に送られそこで銭三強と合流。原爆を運ぶ（デリバリー）技術を完全に取得した。

本当に原爆（のちの核兵器）を作ったのは、ドイツ人の量子物理学者のハイゼンベルクたちである。ナチス政権の下で1943年には、ウランの核分裂反応から、ドイツで原爆を製造、完成した。それは秘かに、捕虜交換の形で、アメリカ側に引き渡された。ブラッドレー将軍の指揮下で、アメリカ軍が入手した。

それを本国の「マンハッタン計画」（シカゴ大学）の、原爆製造にすぐに真似されて、利用された。そして、エンリコ・フェルミ（イタリア人）と、レオ・シラード（ハンガリー人）によって、プルトニウム型原爆が製造された（1945年7月）。

それから、南太平洋のテニアン島に運ばれて、ドイツ製のウラン型が広島に投下された（8月6日）。3日後に、プルトニウム型が長崎に投下されたのである（8月9日）。だから、P107の写真にあるとおり、2-4 楊振寧がシカゴ大学でエンリコ・フェルミに師事して、そこから知識と技術が中国にもたらされて、1964年に、中国が原爆実験に成功したのである。

楊承宗(ヤンチャンゾン)(1911~2011)はイレーヌ・キュリー（1897~1956）からラジウムをもらった。これが大きかった。1964年、中国が核実験に成功したのはキュリーのおかげである

楊承宗は銭三強 2-1 同様、フランスのキュリー研究所で物理学を研究した。1964年、中国が核実験に成功すると、反米(はんべい)のフランスは即座に中国と国交を結んだ。これが国際政治の冷酷な現実だ。

量子暗号、コンピュータが次の戦争の主役

2016年8月、中国は量子暗号を搭載した量子科学衛星「墨子(ぼくし)」号の打ち上げに、人類史上初めて成功した。この量子力学を応用して、量子暗号なるものに中国が到達したことを説明する。最新の報道を紹介する。

「中国科技大、光量子コンピュータで「量子超越性」を実証 スパコン富岳で6億年かかる計算を200秒で」

中国科学技術大学などの研究チームは12月3日、量子コンピュータの計算能力が従来のスーパーコンピュータを上回ることを示す「量子超越性」を、光を使った量子コンピュータで実証したと発表した。同日付で米科学誌Science(サイエンス)のオンライン版に掲載された。

光の最小単位である光子(フォトン)は、ボース粒子(ボソン)という素粒子に分類される。研

中国が世界に先駆けて量子通信衛星を打ち上げた。“21世紀のスプートニクショック”と呼ばれる。宇宙開発の名を借りたアメリカとの覇権争い

2016年8月16日に打ち上げられた世界初の量子通信衛星「墨子（ぼくし）」。ウルムチと北京間の通信に実用される。量子“暗号”通信が軍事の死活を制する。

究者たちは、50個の光子と１００個の光子検出器を使い、干渉し合う多くのボソンの確率分布を計算する「ガウシアン・ボソンサンプリング」を行った。このサンプリングを光量子コンピュータで２００秒間で行った。この計算を中国のスパコン「神威（しんい）・太湖之光（たいこのひかり）」Sunway Taihu Light（タイフ）で行うと、25億年かかる。日本の理化学研究所の「富岳（ふがく）」で行うと、6億年かかるとしている。

量子超越性を巡っては、２０１９年10月に、米Ｇｏｏｇｌｅ（グーグル）が、超電導量子ビットを使った量子コンピュータプロセッサＳｙｃａｍｏｒｅ（サイカモア）で、２００秒で解き終えたとして話題になった。スパコンで約1万年かかる計算である。ランダム量子回路サンプリングである。だが、同じく超電導タイプの量子コンピュータを開発している米ＩＢＭは、「我が社のスパコンでも約２・５日でなら解ける」と反論した。

中国科技大の研究者たちが行った今回のガウシアン・ボソンサンプリングは、計算量理論において計算が難しいことを示す「NP困難問題」よりもさらに難しい「＃Ｐ（ハッシュピー）困難問題」に属するという。このため、量子超越性を示す計算問題の一つとして、今回の中国科技大の実験は有望視されている。

ただ、英科学誌Ｎａｔｕｒｅ（ネイチャー）の取材に対し、物理学者の英インペリアル・カレッジ・

彼らが世界の量子力学の最先端を行く中国の天才たち

潘建偉（パンジエンウェイ）**(1970〜)** 中国科学技術大学を卒業後、ウィーン大学で博士号を取得。2001年中国に帰国し、量子暗号の研究に没頭。“量子の父”と呼ばれる。2017年、ネイチャー誌が選ぶ「今年の10人」のひとりに選ばれた。

陸朝陽（ルウチャオヤン）**(1982〜)** 潘建偉の弟子。中国科技大学を卒業後、潘建偉に出会い量子コンピュータの研究に進み、ケンブリッジ大学で博士号を取得。師とともに共産党員ではなく、衛星政党のひとつ「九三学社（きゅうさん）」に所属している。

黄大年（ファンダーニエン）**(1958〜2017)** 吉林大学教授。イギリスのリーズ大学で博士号を取得し、イギリス国籍を得て共産党籍を捨てた。だが、2009年「千人計画」に応じて帰国。2017年、ガンで死去した。

ロンドン大学のイアン・ワルムスレイ教授は、「中国の研究チームが作った光の回路はプログラマブルではないので、実践的な問題を解くことはできない」と、指摘している。中国の研究チーム自身も、「このあと我々がたどる自然な次のステップは、われわれが開発したGBS（ガウシアン・ボソンサンプリング）量子コンピュータを現実世界の問題に応用することだ」と論文の中でコメントした。

それでも、ワルムスレイ教授は、「今回の中国の実験は間違いなく離れ業の実験であり、我々の業界の重要なマイルストーンだ」と研究を評価した。

（2020年12月4日　ITmediaNEWS）

また、次のような最新のニューズも報道された。中国の国営メディアは、2020年12月4日、同国が「人工太陽」とも呼んでいる核融合研究装置の初稼働に成功したと報じた。

「中国、「人工太陽」を初稼働 同国最大の核融合研究装置」

「中国還流器2号M（HL-2M）」は、国内で最大かつ最新鋭の核融合実験研究装

小説「三体」（原書2008年刊）が先端人間たちに察知され売れだした。量子力学の最高問題の解（ソルーション）に関係するらしい

「三体問題」とは、質量が同じ3つの物体が互いの引力の影響でどのよう運動するのかという物理学の古典的命題だ。

作者の劉慈欣の本業は発電所のエンジニア。すでにNETFLIXがドラマ化の権利を獲得した。やはりエンジニアは強い。2019年10月に来日した。

置だ。強力なクリーンエネルギー源の開発への貢献が期待されている。

四川Sichuan省に昨年末完成したこのHL―2Mは、膨大な熱とエネルギーを発生させることから、「人工太陽」と呼ばれることが多い。

共産党機関紙の人民日報People's Dailyによると、この装置は強力な磁場で高温プラズマを発生させ、その温度は1億5000万度に達した。これは太陽の核の温度の約10倍に当たる。

さらに中国の研究班は、フランスで2025年に完成が見込まれている世界最大の核融合研究プロジェクト「国際熱核融合実験炉(ITER)」の研究班と連携し、この装置を活用していく計画だ。

(2020年12月4日　AFP=時事)


これからの時代は、暗号通信には量子力学と、それを応用した量子コンピュータと量子暗号の技術が、欠かせないものとなる。

中国の〝量子の父〟と呼ばれる世界的権威、3-1 潘建偉が極めて重要だ。2017年、イギリスの科学誌『ネイチャー』で今年の10人に選ばれた、中国の量子力学界のスーパースターである。さらにその下には、まだ30代ながら世界的に名高い 3-1 陸朝陽が出

映画『TENET』（2020年9月公開）には、エントロピーと時間が逆行するという物理学の先端課題が扱われている

ワーナーブラザーズ制作。監督クリストファー・ノーラン。主演はジョン・デイヴィット・ワシントン（デンゼルの息子）。中国の「三体」問題に対抗してアメリカが作った映画だ。

現した。現在、38歳である。こうした中国の天才たちのチカラで、いま中国が量子力学において世界をリードしている。

では電子暗号とは何なのか。つまり、これまでの暗号との違いは……私ごときにはよく分からない。

量子コンピュータについて、遠藤誉女史は次のように説明している。

2018年7月3日の人民日報（中国共産党機関紙）は、中国科学技術大学の潘建偉とその同僚の陸朝陽、劉乃楽、汪喜林らが、6つの光子の「変更、ルート（パス、光の進む経路）、軌道角運動量」の3つの自由度を調節することで、世界初となる18個の光量子ビットのもつれに成功し、すべての物理体系における「もつれ数の世界記録」を更新したと報じた。この成果は「編集者推薦」により、「Physical Review letters」（フィジカル・レビュー・レターズ）に掲載されたという。

量子ビットとは量子コンピュータで扱われる情報の最小単位で、複数個の量子ビット間の量子もつれの制御は、量子通信や量子コンピュータの実現に欠かせない技術的難題として、今、世界の研究開発の競争の中心になっている。

量子コンピュータというのは、「量子」の特殊性を利用して作動するコンピュータで、複数の計算を同時に実行でき、現在使われている最速のスーパー・コンピュータのさらに数億倍ともいわれる高速計算が可能とされている。

現在使われているコンピュータは、「0か1か」あるいは「オンかオフ」かという2種類の状態しか取り得ない。だから（連続的に作動する）アナログではなく、（離散的にとびとびの数値で作動する）デジタルと呼ばれている。

ところが量子コンピュータは「同時に0と1の状態で作動する」ことができる、忍者のような計算方法を取る。量子が「粒子であると同時に波動だから」だ。

遠藤女史による、この優れた説明で、何とか量子コンピュータについて、皆さんも何か分かってください。

宇宙（サイバー空間（スペイス））が、これからの戦場である。このことを遠藤誉女史は解説している。

２００７年1月に中国が古くなって既に運用を停止していた自国の人工衛星の一つで気象衛星である風雲1号Cを破壊した。人工衛星を破壊するためのミサイルは四川省にある西昌衛星発射センターから発射された。気象衛星は粉々に砕け、無数のかけら（デブリ）となって宇宙に散在している。

中国はその後、何度か同様の、使用期限が切れた人工衛星を破壊するための実験を行っているため、トランプ政権としては、いつ中国がアメリカの人工衛星を破壊するか分からないと警戒しているだろう。

量子力学は、非常に難しい。今のところ、私には歯が立たない。重要かつ基礎的な情報を、遠藤誉女史の大著『「中国製造２０２５」の衝撃』（ＰＨＰ研究所、２０１８年刊）から引用する。

２０１８年1月20日、中国政府の「新華網」は、中国科技大学が1月19日に物理学界における正解的権威のある学術雑誌「Physical Review」（フィジカル・レビュー）の速報誌である「Physical Review letters」（フィジカル・レビュー・レターズ）に実験結果の速報を載せ、しかもそれがトップニュースとして表紙を飾ったと伝えた。

中国とオーストリアの間で、墨子号を介して量子暗号による通信に成功したという内容だ。中国科学院の院長、白春礼と、オーストリア科学アカデミーのツァイリンガーは、２０１７年９月29日に量子暗号を用いた世界初の大陸横断ビデオ会議を行ったとのこと。

中国科技大学の潘建偉と同僚の彭承志らでつくる研究チームは、中国科学院上海技術物理研究所の王健宇が率いる研究チームやマイクロサット・イノベーション研究所、国家宇宙科学センターといった機構と共同で、オーストリア科学アカデミーのツァイリンガーが率いる研究チームと協力し、量子通信衛星「墨子号」を使い、中国とオーストリアの間で距離７６００㎞の「大陸間量子鍵(かぎ)配送」を実現し、鍵の共有による暗号化データ伝送と動画通信を実現したのである。

「鍵」の共有による暗号化されたデータ伝送と画像による通信を実現したということだ。この成果は、墨子号がすでに「大陸間量子機密通信」の能力を備えていることを示している。

新華網によれば、実は中国科学院とオーストリア科学アカデミーとは、２０１１年末に北京で「大陸間量子通信協力協定」に署名していた。なぜオーストリアかというと、オーストリアの科学アカデミーが、量子テレポーテーション理論に関して1993年に提唱し、97年には実証していたからだ。

中国科技大学の潘建偉がオーストリアに留学したのは、まさにこのころだった。彼は1996年にウィーン大学の博士課程に入学して量子通信に関して学び、99年に同テーマで博士学位を取得している。その間の1998年に量子通信の最高権威であるオーストリア科学アカデミーのツァイリンガー院長に会っているのである。若干26歳から28歳のころだった。

これで何とか分かってください。私はもうボロボロだ、日本人は、この遠藤本から、本気で大きく何かを分かってください。中国人が、これからの世界を支配していくのである。

恐るべきスピードで発展する中国の宇宙産業

中国政府は驚くべきことに、自国の半導体産業及び宇宙開発産業を、わずか5年で一気にトップクラスに押し上げた。このことの恐ろしさを、日本人は理解すべきである。

中国は、2025年までに①の半導体の70％を自給自足すること、そして、②核兵器のための弾道ロケットの改良と併せて、宇宙開発を進める、2本立てで進むことを決めている。

これを、日本で言う「産官学連携」で、一気に半導体のコア技術となる核心的基礎部品を手に入れることが中心的な動きだ。

前のほうで載せたとおり、紫光集団のCEOである、1-1 趙偉国が非常に重要だ。彼は、2016年に武漢新芯集積回路製造を買収、合併し、長江ストーレッジ Yangtze Memory Technologies を設立した。この半導体のメモリのストーレッジ（貯蔵・保管所、格納）という部分で、「32層3次元NANDフラッシュメモリ」を開発した。日本の東芝の優秀な天才的な技術者たちが開発したNAND型フラッシュメモリのレベルを、中国が超えていった。

〝半導体の虎〟と呼ばれる趙偉国は、経営者としてのマネジメントの能力も凄かった。

ファーウェイも世界中の200の大学と連携している。これを産官学連携という。半導体に関して簡単に言えば、この紫光集団とファーウェイ計画の2本立てだと考えていい。日本で言う産官学連携は、中国では「校弁企業」や「校営企業」と呼ばれる。まさに清華大学をもとにしている紫光集団がそうだ。中国の場合、財閥系企業というものがない。技術と人材を結集した多くの大学が、そのまま企業にもなっていった。

私は、6年前の本で書いたが、2012年に権力を握った習近平は、人民解放軍を解体、再編した。そして、自分に逆らう地方軍閥のような体質を奪い取った。中国は、アメリカよりも早く宇宙軍（スペイス・ミリタリー）を作った。ここが、全土にある核兵器の集中管理と運用権限を握った。それまでの「7大軍区」から「5戦区」に陸軍を再編したときに、権力を奪い取った。そして宇宙軍の上にサイバー宇宙軍（通信ハッキング）を作った。

2012年3月に起きかかった薄熙来クーデターをたたき潰した。軍改正をやり、200万人ぐらいいる陸軍中心の中国人民解放軍の、陸軍を下に落とした。そして、かつての第二砲兵隊と戦略ミサイル部隊を、宇宙軍のほうに編成した。海軍の充実も図った。空軍も拡充させた。そして核兵器は直接、共産党中央と党軍事委員会が、発射権限を持つよう

清華大学に集まる世界の経営者たち

清華大学顧問委員会の主なメンバー		
国	名前	肩書き
中国	朱鎔基	元中国首相（委員会名誉主席）
アメリカ	ヘンリー・ポールソン	元アメリカ財務長官（委員会名誉会員）
中国	王岐山	国家副主席（委員会名誉会員）
アメリカ	ロイド・ブランクファイン	ゴールドマンサックス前CEO
アメリカ	ティム・クック	アップルCEO
フランス	デニス・デュヴェルヌ	アクサ会長
スイス	マリオ・グレコ	チューリッヒ保険CEO
アメリカ	ジェームズ・ダイモン	JPチェース・モルガン会長兼CEO
アメリカ	ローレンス・フィンク	ブラックロック会長兼CEO
台湾	テリー・ゴウ	鴻海科技（フォックスコン）創業者
日本	出井伸之	ソニー元社長・会長
中国	ロビン・リー	百度会長兼CEO
中国	劉鶴	国務院副総理
中国	ジャック・マー	アリババグループ会長
中国	ポニー・マー	テンセントCEO
アメリカ	イーロン・マスク	テスラ・スペースX社CEO
アメリカ	スティーブン・シュワルツマン	ブラックストーングループ会長兼CEO
日本	孫正義	ソフトバンクグループ会長兼社長
インド	ラタン・タタ	タタグループ会長
中国	易綱	中国人民銀行総裁
アメリカ	マーク・ザッカーバーグ	Facebook会長兼CEO

に決定したようだ。

習近平のほうが、宇宙軍の創設ではアメリカより早かった。私はこのことに注目している。アメリカが宇宙軍（スペイス・フォース Space Force ）を作ったのは、やっと2020年である。陸、海、空、海兵隊（マリーン・コー Marine Corps ）の4軍に続く軍になるだろう。


中国は、2020年12月1日、無人探査機「嫦娥5号」の月面着陸に「成功した」。そして、アメリカに次いで月面に国旗を掲揚した国と報道された。しかし、アポロ号というロケットは、月面にたくさん衝突して、その残骸はあるだろうが、「人類（人間）の月面着陸」は無い。成功していない。できない。全部ウソ。

1969年7月から2年半の間に6回、12人の宇宙飛行士（アストロノウト）が月面に降り立ったというのは真っ赤なウソである。私は『人類の月面着陸は無かったろう論』（徳間書店、2004年刊）の著者である。これを今からでも買って、読んで下さい。月面の映像は、スタンリー・キューブリック監督による特撮だ。

中国が本気で月面着陸を目指す。ただしロボット。1969年の米のアポロ11号の人類初月面着陸がウソだとバレるだろう

2020年11月24日、長征5号に搭載された無人月面探査機「嫦娥5号」が打ち上げられ12月2日、月面に着陸した。中国国旗を地面に打ち立てたと。疑わしい。ちなみに、嫦娥とは中国神話の月の女神（かぐや姫）のことである。

そして、私の考えは、中国が月面に探査機を軟着陸（ソフト・ランディング）させて、月の岩石を採集して、地球に持ち帰ったというのは、虚偽（ウソ）だと思う。人類には、まだ月面にロケットを着陸させるだけの技術力はない。探査衛星で、月の表面を精密に撮影して、電信画像で地球に送信することだけでやっとである。

そして、その衛星は、地球に帰還する力はない。だから、中国の月ロケットが成功した、というニューズを私は信じない。これは、中国政府による虚偽のヤラセ行為である。なぜ、こんなことをするのか。今のところ、私には分からない。月面を現在の光学技術では微細に撮影できるはずだ。しかし、どんな天体観測者も、民間人を含めて、月面の精密な映写をしようとしない。月面の撮影は国際的な秘密条約があって、やってはいけない、と決められているのだ。誰が、いつ、この巨大なダマシを暴き立てるだろうか、と私は待ち望んでいる。

「中国が月面に国旗掲揚、2カ国目　サンプル採取にも成功」

1日に月に軟着陸した中国の無人探査機「嫦娥（じょうが）5号」が12月3日、月面の岩石や土壌の採取に成功し、地球に戻るため月面を離陸した。離陸前には、アメリカに次ぐ2カ国目として月面で国旗を掲げた。

嫦娥5号は土壌や岩石のサンプルを、月面から15キロ上空にある中国の月軌道船へ運んだ。サンプルは回収機に格納され、内モンゴル自治区へ向かって大気圏に突入する。

中国国家航天局（ＣＮＳＡ）が公開した画像には、風のない月面に中国国旗が立っているのがわかる。嫦娥5号が月面を離れる直前に布製の国旗を設置し、撮影したという。

国旗は縦90センチ、横2メートルで重さは約1キロ。低温に耐えられる作りになっていると、プロジェクト・リーダーのリ・ユンフェン氏は、中国国営の英字紙「環球時報（グローバルタイムズ）」に述べた。

「地球上の普通の国旗は、月面の厳しい環境下では耐えられないはずだ」と、プロジェクト開発担当のチェン・チャン氏は述べた。

この中国政府の月面着陸、岩石採集、そして地球への帰還の発表はウソである。なぜ、中国がこんなウソをつくの、私には分からない。アメリカに次いで、人類を騙して何の利益があるのかも分からない。

日本の「はやぶさ2号」が小惑星に瞬間着地して、小さな石を採集して、そしてスイングバイ航法で地球に戻ってきたのは、これは真実（トゥルース）である。記事を続ける。

アポロ計画の「興奮」を連想

中国の探査機が月面に下りるのは、２０１３年の「嫦娥3号」と昨年の「嫦娥４号」に続き3回目。

過去のミッションでも月面での国旗撮影に成功しているが、今回のような布製の本物の国旗ではなく、機体にあしらわれた国旗を撮影していた。

グローバルタイムズは、中国国旗の掲揚はアメリカのアポロ計画で感じた「興奮とインスピレーション」を連想したと伝えた。

アメリカは１９６９年、世界で初めて月面に国旗を掲げた。その後、１９７２年までの複数のミッションでさらに5つの星条旗を月面に設置した。

米航空宇宙局（NASA）は2012年、5つの国旗が現在も残っていることを示す衛星画像を公開した。専門家たちは複数メディアに、これらの国旗が太陽の光で白く退色している可能性が高いと述べている。

アポロ計画に参加した宇宙飛行士バズ・オルドリン氏は1969年に掲げた国旗について、アポロ月着陸船にあまりに近い場所に設置したため、アポロが上昇するときの勢いで吹き飛ばされたかもしれないとしていた。

（2020年12月5日　BBC）

アメリカ政府は、今もこのようなウソをつき続けている。見苦しい限りである。

ファーウェイ問題とはなんだったのか

中国が自力での技術開発に本腰を入れるきっかけとなったのは、アメリカによるファーウェイ社に対する排除問題である。

その発端となったのが、2018年12月6日、アメリカ政府の要請で、カナダの国境警備隊（ＲＣＭＰ。ロイヤル・カナディアン・マウンテッド・ポリス）による拘束であった。対イラン経済制裁に違反した詐欺罪などで、カナダ当局に同社の孟晩舟（もうばんしゅう）副会長兼最高財務責任者（ＣＦＯ、47歳）が逮捕された。

孟晩舟を司法取引で、中国に返すという動きになっている。

「ファーウェイ副会長〝中国帰国〟司法取引か」

カナダで拘束された中国の通信機器大手「ファーウェイ」の副会長について、中国への帰国を可能にする司法取引をアメリカの司法省と副会長側が協議していると報じられた。

ファーウェイの副会長、孟晩舟被告は、２０１８年12月、イランに関連する不正な取引に関わったなどとして、アメリカの要請によりカナダで逮捕され、身柄をアメリカに引き渡すかどうかの審理が続いている。

有力紙「ウォール・ストリート・ジャーナル」は、孟被告が罪を認めれば中国への帰国を可能にする司法取引をアメリカの司法省と被告側が協議していると伝えた。

合意すれば、悪化した、アメリカ・カナダと中国の関係が改善する可能性がある。ただ、孟被告は「不正行為はしていない」として抵抗している。

（２０２０年12月5日　日本テレビ）

このあと、アメリカ国家が、トランプ勢力と反トランプ勢力に分裂する形になってゆくので、ファーウェイなどの中国企業は、アメリカでのビジネスがどんどん規制されてゆく。あるいは、中国企業がＮＹ証券取引所（ＮＹＳＥ）で上場廃止などになってゆく。ＮＹ株の大暴落が当然のこととして、近く予想される。ファーウェイだけでなく、参勤、最も騒がれたＴｉｋＴｏｋへの規制も厳しくなっていくだろう。

迷走するＴｉｋＴｏｋの売却騒動

２０２０年7月、スティーブン・ムニューシン財務長官が議長を務める対米外国投資委員会（ＣＦＩＵＳ）が、ＴｉｋＴｏｋ（ティックトック）に対して安全保障上の懸念を指摘した。

それを受けてトランプ大統領は8月6日、対中貿易制裁の一環としてその配信中止を命じる大統領令を発動した。さらに14日には、90日以内にＴｉｋＴｏｋの米国事業を売却するよう命令した。

そして9月19日、ＩＴ大手のオラクルと世界最大の小売業ウォールマートがティックトックと合弁会社を設立することを発表。

それとともにトランプ政権は再びティックトックの停止を命じたが、裁判所が10月、12月と立て続けに全面禁止措置を暫定的に差し止める命令を下しており、いまだに使用が可能である。

しかも売却期限である12月4日を回っても、まだ売却は成立していない。つまりアメリカはＴｉｋＴｏｋをつぶせない、つぶす力まではないだろう。

ＴｉｋＴｏｋは、これまでの欧米白人文化を上回る魅力を持つ、中国初のソフトパワーなのである。

今のトップの大企業の番付

世界株式時価総額ランキングの比較

2008年末

順位	企業名	国名	主な産業	時価総額
1	エクソンモービル	アメリカ	石油	3997億ドル
2	中国石油天然気(ペトロチャイナ)	中国	石油	2591億ドル
3	ウォルマート・ストアーズ	アメリカ	小売	2176億ドル
4	中国移動(チャイナモバイル)	香港	通信	1968億ドル
5	P&G	アメリカ	サービス	1809億ドル
6	マイクロソフト	アメリカ	情報・通信	1765億ドル
7	中国工商銀行	中国	金融	1747億ドル
8	AT&T	アメリカ	通信	1677億ドル
9	ゼネラル・エレクトリック(GE)	アメリカ	電機	1666億ドル
10	ジョンソン＆ジョンソン	アメリカ	サービス	1641億ドル

出所:日本経済新聞

2020年(8月時点)

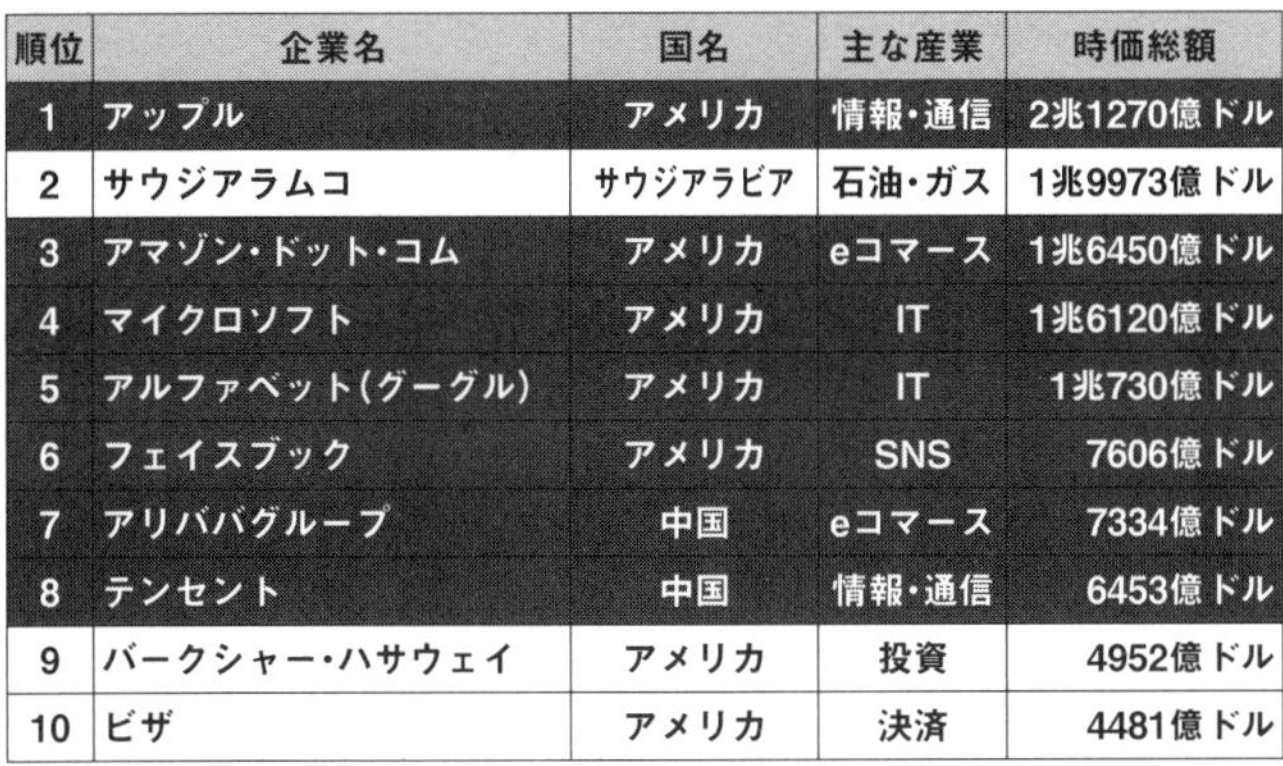

順位	企業名	国名	主な産業	時価総額
1	アップル	アメリカ	情報・通信	2兆1270億ドル
2	サウジアラムコ	サウジアラビア	石油・ガス	1兆9973億ドル
3	アマゾン・ドット・コム	アメリカ	eコマース	1兆6450億ドル
4	マイクロソフト	アメリカ	IT	1兆6120億ドル
5	アルファベット(グーグル)	アメリカ	IT	1兆730億ドル
6	フェイスブック	アメリカ	SNS	7606億ドル
7	アリババグループ	中国	eコマース	7334億ドル
8	テンセント	中国	情報・通信	6453億ドル
9	バークシャー・ハサウェイ	アメリカ	投資	4952億ドル
10	ビザ	アメリカ	決済	4481億ドル

出所:Value.today

金融でも物作りでもなく、情報、データを握った大企業が勝ち、世界基準（プラットフォーム）を握る。

第4章

新たな
火種を抱える
中国金融内乱

コロナから劇的回復を果たしたものの不安も残る経済

中国経済はP155の図にも載せたように、コロナ後の世界において、独り勝ちの感がある。中国だけが景気回復して、GDPも成長している。欧米の先進国を含めて、世界中がマイナス成長、すなわち経済衰退している。日本も同じだ。実際、中国国内の自動車の売り上げは、前年をほとんど下回らなかった。

「11月の中国新車販売12・6％増　通年では2530万台到達も」

中国自動車工業協会が12月11日に発表した11月の中国新車販売台数は、前年同月比12・6％増の277万台だった。

国内の景気回復を受けて乗用車などの売れ行きが堅調に推移し、7カ月連続で2桁の伸びとなった。

今年1～11月累計の販売台数は、前年同期比2・9％減の2247万台。ロイター

コロナ禍の2020年でも先進国を含めて、唯一中国だけがプラス成長を遂げた。中国経済は崩壊しない

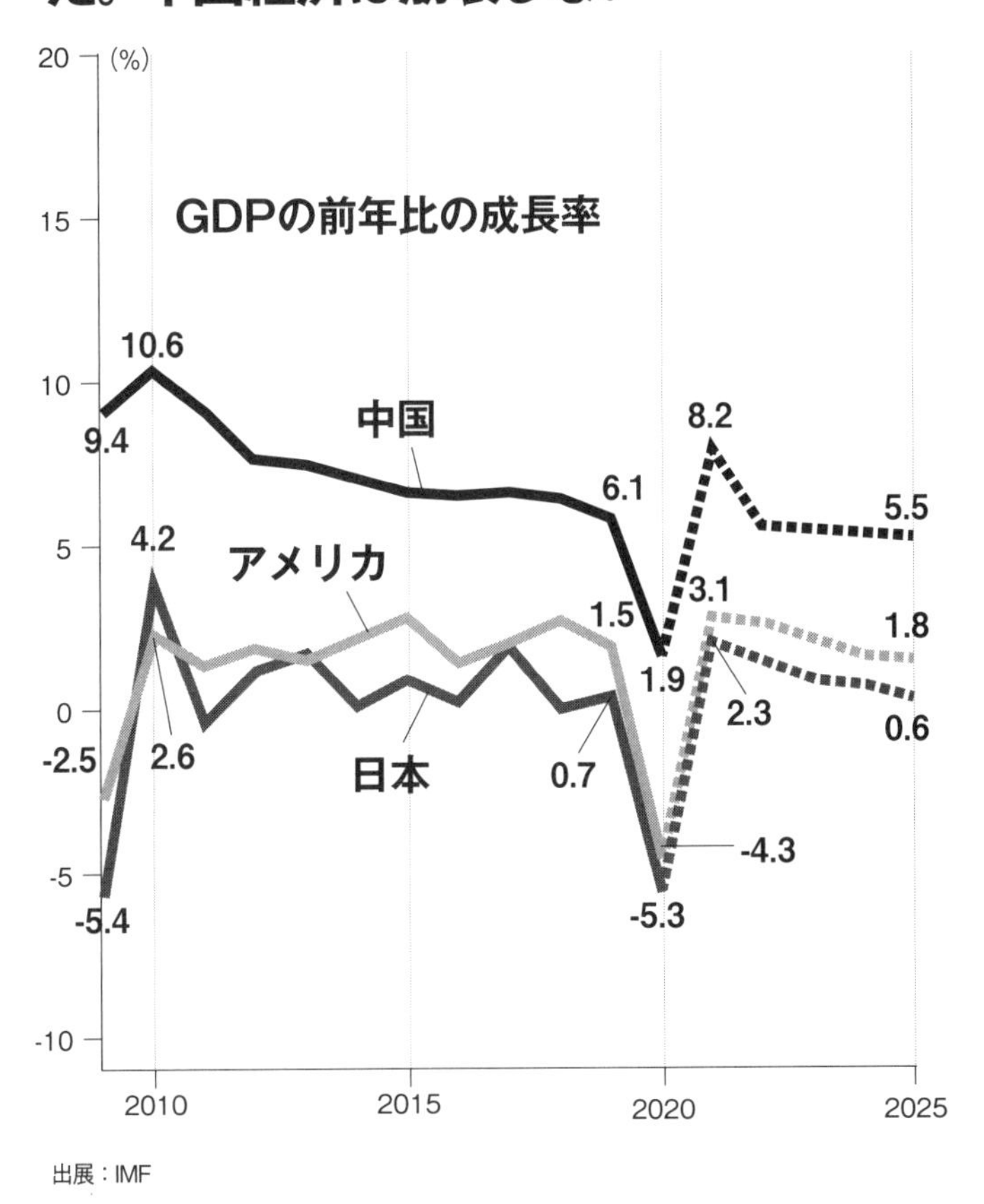

出展：IMF

2020年以降の数値はIMFの予測値。

通信によると、同協会幹部は、通年の販売台数が２５３０万台に達するとの見通しを示した。前年実績（２５７７万台）には届かず、３年連続でマイナスとなる見込み。ただ、新型コロナウイルス流行を受けた年初の大幅な落ち込み幅はほぼ取り戻した形だ。幹部はまた、来年の販売台数が２６３０万台と増加に転じると予想した。

（２０２０年12月11日　時事通信）

　このように、中国の自動車販売は、新型コロナの打撃があっても、年間２５００万台も売れている。他の国々が大きな打撃を受けて、ＧＤＰ成長率でマイナス５％の悲惨な状況を呈している。

　これは、中国がコロナ攻撃を見事に撃退したことを示している。一方、日本や欧米諸国は、ディープ・ステイトの策略にまんまと嵌（は）まり、経済活動を過剰に止（と）めることで自分の首を絞めてしまった。

　このように中国の先行きは、景気回復が急ピッチで進む反面、国有企業のデフォルトが急増している。外国への輸出が減ったことが、原因となっている。主なものを挙げると、賃貸不動産大手エッグシェルアパートメント（業界2位）、スーパーマーケットチェーンの上海商州永慧生鮮食品が破綻した。武漢の弘芯半導体製造も実質的に破綻した。

EVで出遅れた日本企業が生き残る道

EV（電気自動車）の生産でも、中国の躍進が目立つ。だが、中国製のEV車を輸出する、というところまでは至っていない。EVでは、まだまだ日本の自動車メーカーが蓄積した技術が大きい。ただし、日本ではEV車を製造しても、あまり売れない。ヨーロッパもEV車を作る技術を、ドイツでさえそれほど持っていない。

アメリカは、テスラ（イーロン・マスクCEO）の独り勝ちである。テスラは、勝った。2年前は、ヘッジファンドたちからの株暴落攻撃で、今にも潰れそうになったが、イーロン・マスクは持ちこたえた。

そして、中国の王岐山国家副主席の支援を受けて、大きな反撃に出た。急いで上海に作ったテスラの工場で、さっさと販売を始めた。ベルリン郊外にも、工場を作った。テスラのEV車は、ハリウッドの俳優たちに大いに受けたので、華やかさの頂点に立った。今や20万ドル（2000万円）くらいの高級ラインが、どんどん売れている。

それで、テスラの株価がハネ上がった。2020年7月、トヨタを抜いて、時価総額は2000億ドル（20兆円）を超えた。ところが、たった2カ月でさらに倍の4000億ドル（40兆円）になった。このEV車で世界一のテスラの技術とデザインが中国に移転するわけだから、中国の勝ちである。

「中国の百度（バイドゥ）、電気自動車の生産を検討＝関係筋」

複数の関係筋によると、中国の大手検索サイト、百度（バイドゥ）が、自社ブランドの電気自動車の生産を検討している。すでに複数の自動車メーカーと協議したという。

ハイテク業界ではスマートカーの開発競争が起きており、百度も自動運転技術やネット接続インフラを開発している。

関係筋によると、百度は電気自動車の委託生産のほか、自動車メーカーと合弁事業を設立し過半出資することを検討中。自動車大手の浙江吉利控股（ジーリーコング）集団、広州汽車集団、第一汽車集団の「紅旗（ホンチィ）」と予備的な協議を実施したが、決定には至っていないという。

百度はコメントを控えている。

ハイテク業界では、騰訊控股（テンセント・ホールディングス）、アマゾン・ドット・コム、アルファベットなどが、自動運転関連の技術開発や、スマートカー開発のベンチャー企業への投資を進めている。

百度は、2017年に自動運転部門アポロを設立。主に人工知能（AI）に基づく技術を提供しており、浙江吉利、フォルクスワーゲン（VW）、トヨタ自動車、フォード・モーターなどの自動車メーカーと連携している。

百度は北京、長沙、滄州でセーフティードライバーが同乗した自動運転タクシーのサービスも提供。3年以内に30都市に拡大する計画だ。先週は、セーフティードライバーが同乗しない車両5台の試験走行を北京で実施する認可を得た。

（2020年12月15日　ロイター）

IT企業大手の百度(バイドゥ)も、EV車産業のほうに楫(かじ)を切った。中国政府も環境汚染（排気ガス）対策でEV車を強力に推進している。おそらく、都市部のバスやトラックのような大型車をEV化することが先行するのではないか。

実はＥＶ車の最大の弱点は、積載する蓄電池（バッテリー）の開発が遅れていることである。蓄電池の先端技術は、日本の企業がリードしている。テスラの陰（かげ）に隠れようにして、パナソニックとトヨタが電池を供給している。日本勢は、アメリカにぶん殴られないように気を付けながら、コソコソと動いて電池開発で生き残ろうとしている。

パナソニックがネバダ州に作った電池製造のための巨大工場（ギガファクトリー）は、一時期はテスラのＥＶ車が売れなくて風前の灯火（ともしび）だった。ところが、テスラが不死鳥（フェニックス）のように蘇（よみがえ）ったので、今はホクホク顔だろう。

テスラにくっ付いて中国に行くことで、パナソニックは生き残りを図っている。日立や東芝、ソニー、ＮＥＣ、ＧＳ（ジーエス）ユアサ、住友電工、村田製作所なども、対（たい）中国の技術と電子部品（デバイス）の輸出で、生き延びようとしている。

デジタル人民元の行方

中国の金融市場は、まだまだ成長する。内実（ないじつ）を伴（ともな）った実体経済のほうが伸びれば、そ

日本は電池の開発に賭ける。電気自動車（EV）はまだリチウム・イオン電池である

電池関連技術の特許出願数トップ20(2000～2018年)

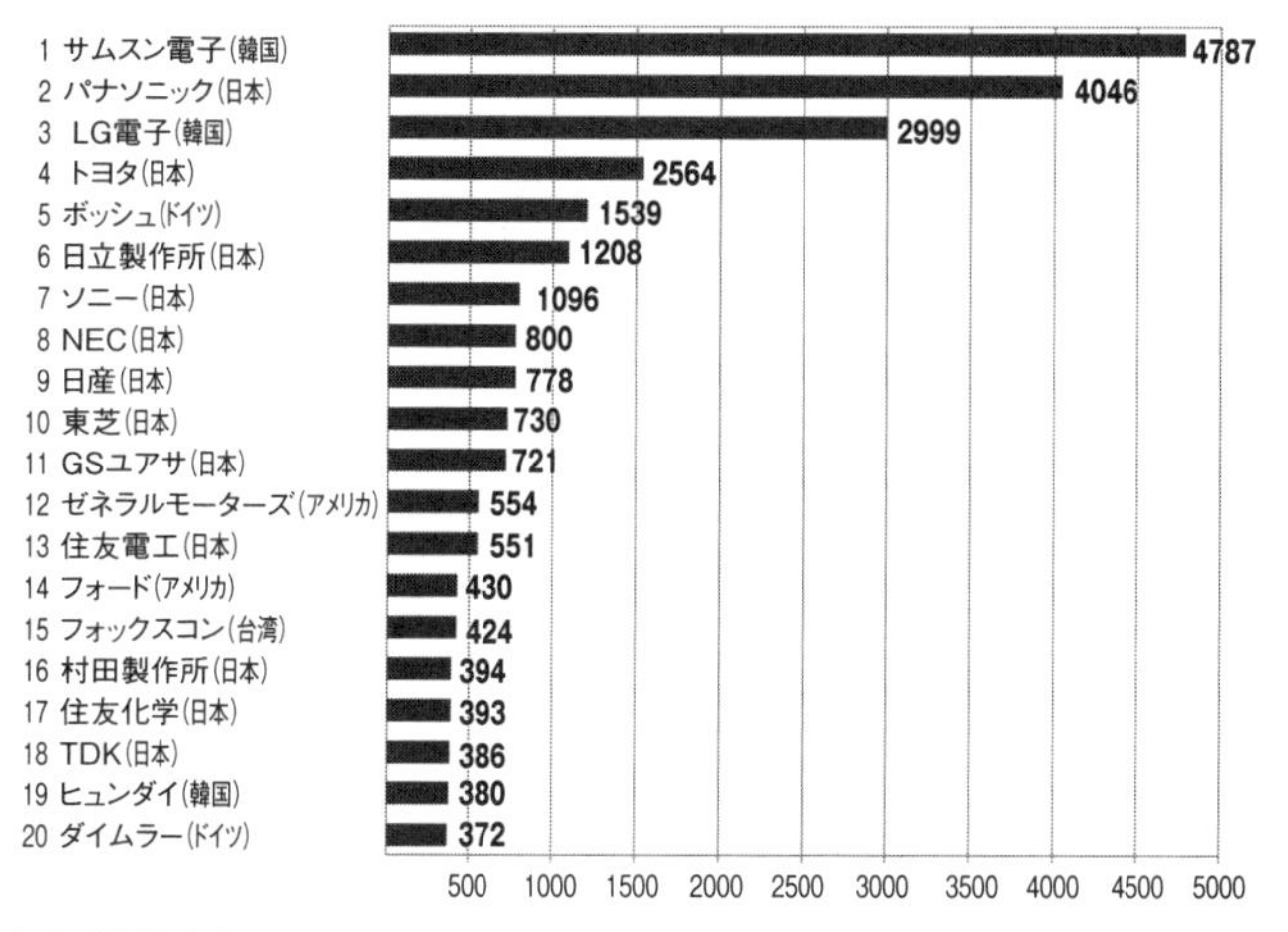

出所:欧州特許庁

トヨタを先頭にして、次の燃料電池(フューエルセル)（水素を燃やす）を開発しているが、あと暫くかかる。蓄電池（バッテリー）の耐久技術の開発にも注力している。人類が“無限(永久)エネルギー”を作り出すのは先の話だ。

れに見合っただけの金融の膨張がある。第2章で説明したY（モノ）＝M（お金）の経済学の原理（プリンシパル）に従うから、Y（実体経済）が増えれば、M（金融の総量）も増えるのである。

今、中国で騒がれているのは「デジタル人民元」の導入の話である。

「「デジタル人民元」10万人の実証試験を開始…ネット通販や出前も」

中国がデジタル通貨「デジタル人民元」の発行に向け、江蘇省蘇州市と周辺都市で10万人を対象にした実証試験を始めた。日本など主要国の中央銀行がデジタル通貨発行の検討を続ける間に、中国は技術的な知見の蓄積を進めている。

実証試験は12月11日午後8時に始まり、27日まで行われる。抽選で選ばれた10万人に総額2000万元（約3億2000万円）分のデジタル人民元が配られており、10月に広東省深セン市で実施した試験の2倍となる。

蘇州市のショッピングモールで12日、スマートフォンに入ったデジタル人民元でスーツを買った男性会社員（45）は、「軽くスマホで触れるだけで支払いができる。ア

“デジタル人民元”の導入とは、アリペイとウィーチャットペイの国家による召し上げだ

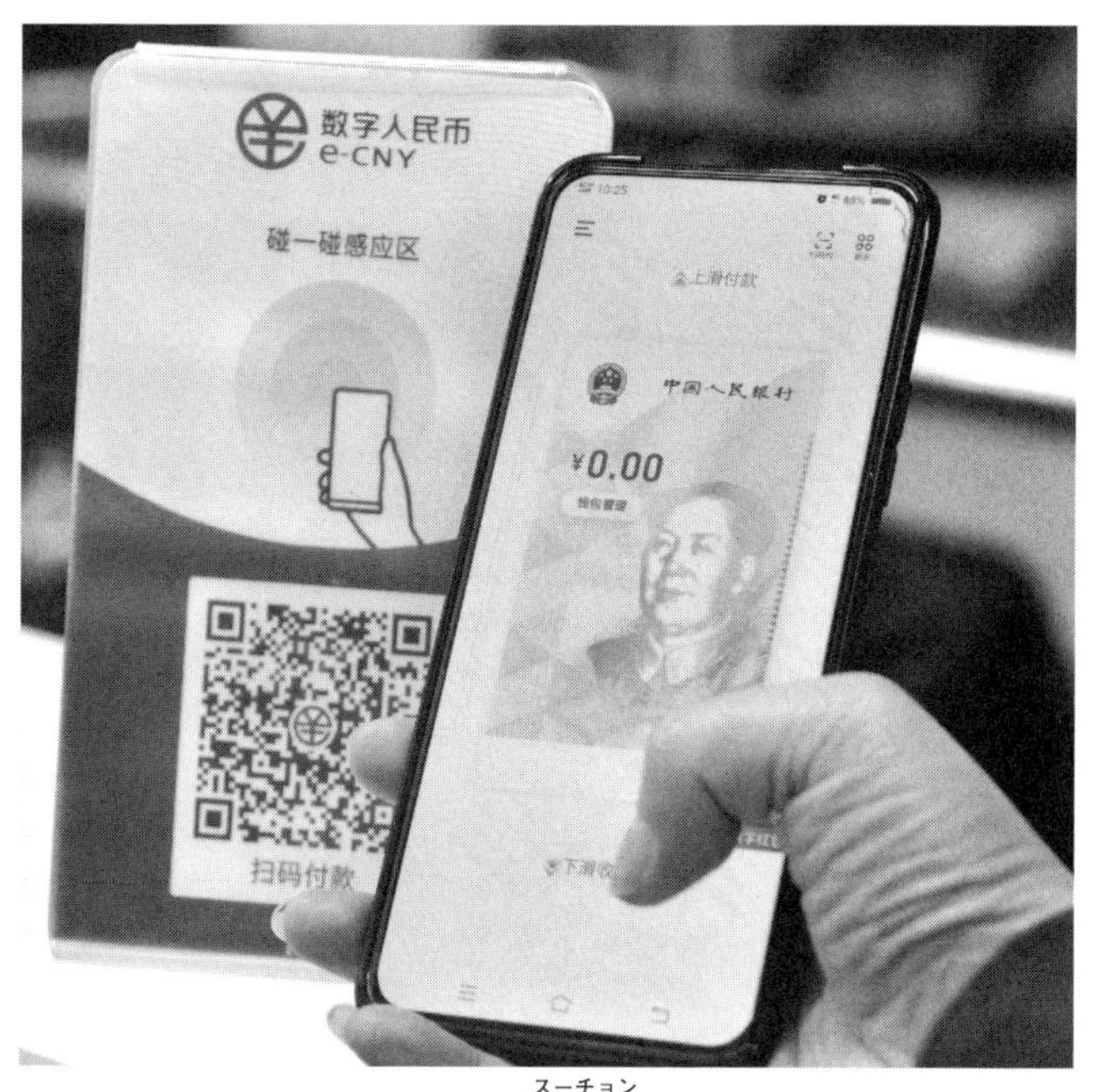

2020年12月5日、江蘇省蘇州（スーチョン）市でデジタル人民元の実証実験が始まった。住民に配布されるデジタル人民元の総額は2,000万元（約3億2,000万円）。住民は専用アプリを通じて抽選に申し込み、当選者は200元（3,200円）のデジタル人民元をもらえる。

リペイよりいいね」と笑顔を見せた。

触れるだけとは、スマホの近距離無線通信（ＮＦＣ）を使った新たな決済方法のことだ。地下や災害時など通信電波が届かない環境でも、店に置かれた専用プレートにこつんと触れるだけでデジタル人民元での決済ができる。

今回の実証試験では、インターネット通販や配車、出前サービスなどでの利用も新たに対象となった。

ネット通販大手・京東集団（ＪＤドットコム）のアプリの特設ページには、支払い方法の選択画面に、デジタル人民元が追加された。デジタル人民元の利用者は画面をタップするだけで買い物ができる。

（２０２０年12月13日　読売新聞）

デジタル人民元は、私たち日本人がスイカ（suica）やパスモ（ＰＡＳＭＯ）で商品を買う時のように、決済画面にスマホを触れるだけで支払いが終わる。この制度を政府の管理下でやる、ということだろう。世界に先駆けて、中国がデジタル通貨を実行に移すことを示している。

このデジタル人民元は、3年前に大騒ぎになったビットコインのような暗号通貨（仮想通貨。クリプトカレンシー）と、どう違うのかという問題となる。

簡単に言えば、国家の壁は越えられないということだ。

仮想通貨騒ぎは、バカげたものであった。国家の壁（国境線）を平気で越えていくマネーが出来るなどと、知恵のない人々が夢見心地で騒いだだけだ。つまり、国家権力の強さと恐ろしさを知らない人々のから騒ぎにすぎなかった。

デジタル通貨は、支払い手段がスマホになり、現金（キャッシュ）が消えてゆくだけのことでしかない。日本はデジタルマネーの技術を開発した国なのに、例えば、スイカは2万円しか入金でない。不便でしょうがない。

このスイカの技術は、元々ソニーの技術陣が開発したものだ。それを中国に取られてしまったのだ。そのため、アリババとテンセントという巨大なスマホ銀行が中国に出現した。これで、もう、普通の銀行がなくなって、消滅へと向かった。

私は『銀行消滅』（2017年、祥伝社刊）という本も書いた。だが、日本政府のバカ官僚たちが、スイカは2万円しか入金できないと規制しているので、日本は、デジタルマネーで落ちこぼれた。こういう官僚統制が、もっと日本をダメにするのだ。

習近平とジャック・マーの仁義なき戦い

次に載せた、日経新聞の中沢克二記者の中国分析は大変優れている。一番最新の中国共産党のトップたちの関心事がどこに有るかが分かった。

「「無秩序な資本」アリババも標的 習近平氏が急旋回」

計画経済の伝統を引きずる中国の12月は、来年のかじ取りを決める重要な季節である。繁忙期の北京・中南海で注目すべき動きがあった。

実名こそ挙がらなかったが、標的の一つは、電子商取引最大手のアリババ集団、その創業者で〝紅い資本家〟の馬雲（ジャック・マー）である。馬雲は中国共産党員だが、アリババ傘下のアント・グループは先に突然、上場延期に追い込まれた。

（略）

中国人の消費欲求はとどまるところを知らない。中国の需要（デマンド）が、世界中の企業を支え続ける

2020年11月11日、恒例の「独身節＝双11（ダブルイレブン）」でアリババは4982億元（約8兆円）の売り上げを記録した。もっとも、アリババ創業者の馬雲（ジャック・マー、56歳）は、資金調達で調子に乗りすぎて習近平に叱られた。行方不明説も出ている。

ニューヨーク株式市場におけるアリババ株の値動き

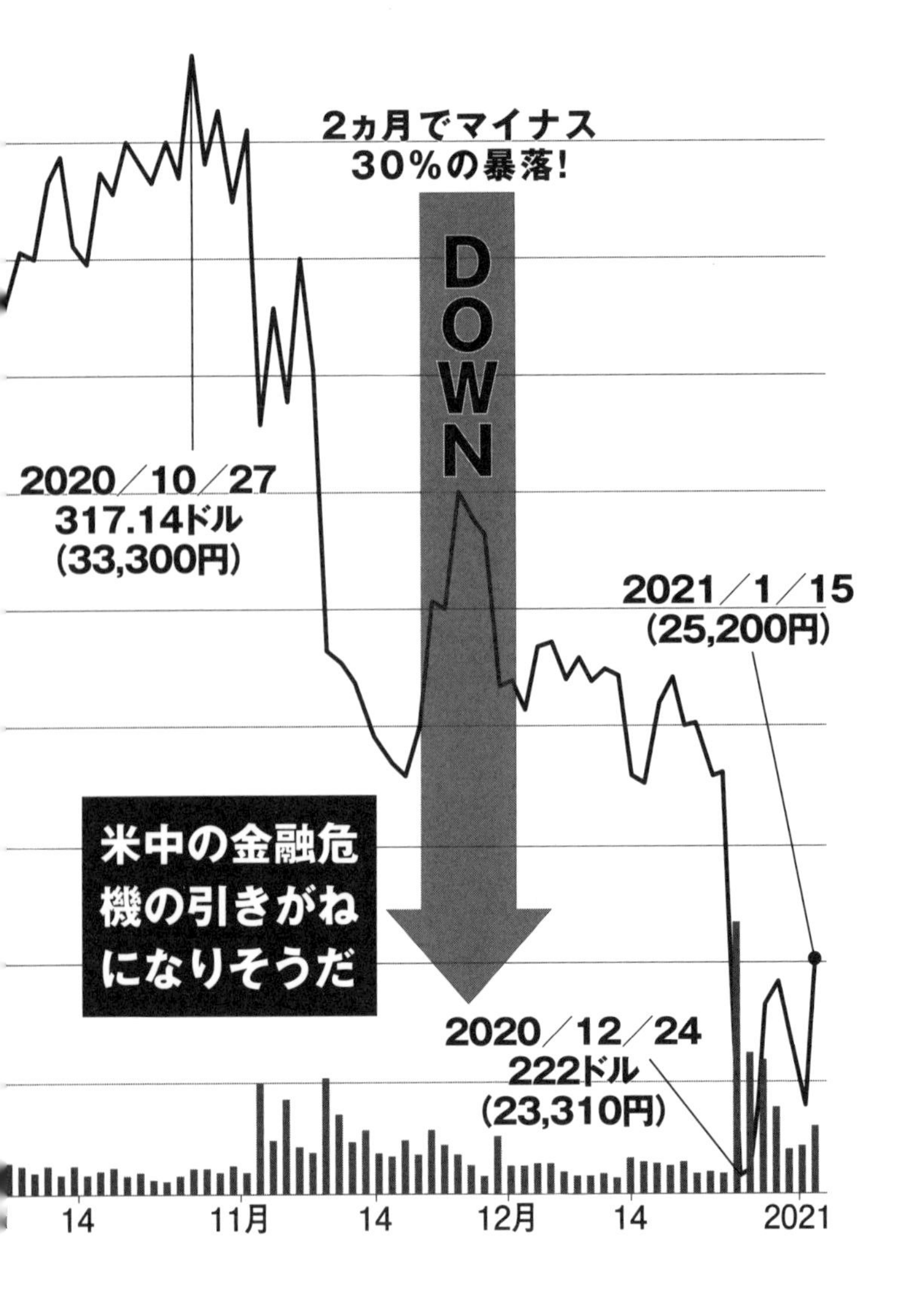

アリババ株は2020年12月24日、中国当局のアリババグループへの調査開始の発表を受けて、最高値から2カ月で30%も下落した

だが、国家主席の習近平（シー・ジンピン）の視線は少し違う場所にそそがれている。微妙なズレを浮き彫りにする中国の政治・経済に詳しい関係者の声を紹介したい。

「同じ日に習近平が主催した2つの（中央）政治局の集まりで言及した『独占禁止と資本の無秩序な拡大防止』と『国家安全、政治の安全、政権の安全』はセットだ。そう考えれば政治的に正しく理解できる」。議論になっているのは12月11日の政治局会議と政治局の集団学習である。

（略）

政治局会議に「独占禁止と資本の無秩序な拡大防止」が登場するのは初めてという。しかも今回は来年使う羅針盤をセットする場である。独占禁止は世界各国が公平な市場の発展を目的に実施する普遍性のある政策だ。だが後段は色合いが異なる。

資本の無秩序な拡大防止──。この表現はかなり強い。資本に対するある種の敵意さえ感じられる。資本は一般に民間部門を指す。中国経済を支える民間企業を社会主義市場経済を標榜する中国がどう位置付けるのか。そこには長く激しい戦いがあった。

（略）

欧米各国では、GAFA（グーグルの親会社アルファベット、アップル、フェイスブック、アマゾン・ドット・コム）など巨大IT企業への規制が強化されつつある。中国の動きも単にこれに追随するものと理解されがちだ。だが、それだけでは本質を見誤る。「政治を優先する正しい理解」のためには、先に紹介した12月11日のもう一つの重要な集まりを思い起こすべきだ。政治局の集団学習である。

テーマは国家安全だった。習近平は「政治安全をまず要の位置に置き、政権の安全と制度の安全を守る」とした。国家安全は一般の国家の安全保障と重なる面も多く、およそ理解できる。共産党ではなく国家を使っているのだから。

（略）

思い返せばこの1年間、一貫して提起されてきたのが、様々な名目の国家安全である。香港立法府の頭越しに中国が決定した香港国家安全維持法もその一つだった。香港に関連する国家安全も最終的には、中央の政治、政権の安全に直結するという論理である。国家、政治、政権の安全を巡る習近平の戦いに終わりはない。

（2020年12月16日　日本経済新聞　中沢克二）

習近平は、中国のネット通販最大手のアリババが、今以上に巨大化して中国の金融システムにまで、手をかけてくることを恐れている。この事態は、現にアメリカでビッグテックの「GAFA（ガーファ）＋MS（マイクロソフト）」が引き起こしている、国家体制さえも飲み込んでしまうような脅威として出現しているのだ。

だから習近平は、アリババたちを押さえ付けて、国家体制（共産党の支配）の下に置くために、なんと「独占禁止と（民間）資本の無秩序な拡大（の）防止」という課題（テーマ）を、自分たちの目の前の最重要課題とすることに決めた。

この「巨大民間資本による（市場の）独占を防止する」のは、「国家（の）安全、政治の安全、政権の安全」のためだと、習近平たち指導部は考えた。中国共産党自体が「国家独占体」の独裁政治体制であるのに、アリババたち「民間独占資本（モノポリー）」からの挑戦（チャレンジ）を受けると、このあと、国家独占体である自分たちがどのように変容（へんよう）、変態（へんたい）していくのか、を研究（中国では「学習」という）しなければならない、と判断したようだ。

ただ単に、アリババたちを上から押さえ付ければいいというものではない、と習近平もよく分かっている。

世界の5G（ファイブジー）を握ってしまいそうなファーウェイがアメリカから叩かれた問題が起きた

時、習近平はファーウェイに手出しをしなかった。ファーウェイと共産党政府は対等である、という態度でアメリカからの攻撃をしのいだ。ファーウェイの自主判断に任せたのだ。ファーウェイのCEOである任正非（レンジャンフェイ）、2018年にアメリカから圧力受けたときに、これを拒絶した。任正非は、「自分は共産党員だ。中国を裏切ることはしない」と、啖呵（たんか）を切った。それでアメリカから嫌われた。もしあの時、習近平がファーウェイを国有化してしまうような強制権を発動していたら、かえって、中国政府が困ったことになっていただろう。

ところが今回は、習近平は、アリババの子会社のアント・グループが3・4兆円の資金を得るために、上海株式市場にIPO（新規公開株）で上場しようとしたら、「やめろ」という圧力をかけた。

アリババ株はニューヨーク株式市場にも上場しており（これは上海株式市場との二重上場である）、今やその株価は5400億ドル（54兆円）にまで膨らんでいる。

アメリカ政府が、「自国の安全のために、外国の企業との取引を停止する」と決断して、アリババのNY市場での上場を廃止したら、この時価総額の5400億ドルは、消えてなくなる。これやると、アリババ株を買っているアメリカの投資家たちが、大損をして大打撃を受ける。

日本のソフトバンクの孫正義会長は、アリババ株の14％ぐらいを持っているらしいので、1500億ドル（15兆円）くらいが吹き飛んで消えてしまう。そうなると、メインバンクのみずほ銀行が破綻するだろう。

国家という独占体と、民間の独占資本対立から、これからの世界の様相が見えてくる。私は、今のところは、国家のほうが勝つ、と判断している。なぜなら国家（政府）は、法律を作って、その法律を適用することで、強制的に民間企業を屈服させることができるからである。

地球上で一番大きな権力は、今のところ、国家が持つ法律の力である。どんな小国でも、独裁国家でも、法律を制定する力が最上のものである。

世界統一政府は存在しないのだから、それぞれの国家の法律を超える力を持つものはいないのだ。アメリカの巨大ＩＴ、ビッグテックの「ＧＡＦＡ＋ＭＳ」も、国家（政府）の命令には勝てない。独占禁止法で、企業分割されるであろう。

アント・グループはアリババの子会社。利用者の信用度を点数化して融資する「芝麻(ゴマ)信用」で、爆発的に伸びた。340億ドル(3.5兆円)のIPO価格になると期待されたが、延期

蚂蚁集团
ANT GROUP

現在はアリペイCEOの彭蕾(ほうらい)(上)。アリババの創業メンバーのひとりで、アント・フィナンシャルを立ち上げた。右は芝麻（ゴマ）信用の画面。この人は中レベルの信用度となっている。

やはり中央アジアが次の金融の中心となる

一帯一路にＡＩＩＢ（アジアインフラ投資銀行）がくっ付き、勢力を広げていくという中国の経済政策の方向性は今後も変わらない。なかでも、銀行、金融をめぐる戦いはずっと続くだろう。最近はニュースにこそならないが、世界の金融部門を中国（ＡＩＩＢ）が抑えていって、新たな世界的な決済体制をつくっていくつもりだろう。その舞台が中央アジアである。

中国は今、全土が高層ビル化しつつある。中国政府は全ての国民に、床面積１００平米（30坪）の大きな高層ビルの一室を与えようとしている。高層アパートの一室は、空中権ともいうべき財産権（プロパティ・ライト）である。土地の権利など初めからない。この権利は50年で終わることになっている。

しかし、居住権が保証されるのだから、私はこれでいいと思う。50階建て、いや１００階建てのビルを、内陸部に１万棟以上作るだろう。それでも計算すれば、この１万棟が完成しても、５０００万人分の住居しか提供できない。

中国はユーラシア大陸の砂漠地帯に向かって、なんとか水を確保し作物を育てる仕組みを作りながら、大きく伸びていくだろう。日本人は海、太平洋のほうばかりを見て、せいぜいシナ海くらいでしかものが考えられない。そして、すぐに「尖閣諸島を中国に取れられる」と騒ぎ出す。

そのチンケな考え（頭）を何とかしたらどうですか。中国人にとっては、そんなみみっちい考えは全体のほんの一部にすぎない。彼らはユーラシア大陸のほうへと、どんどん向かっていくのだ。

第5章

中国の未来に巻き込まれる世界の今後

中国にとって大事なのは貧困からの脱出

アメリカ国内の雰囲気は、「いつでも中国と戦争するからな」である。この感じがますます強くなっている。トランプは中国とぶつかる気は全くない。ただ、カネの問題だけは別だ。「これ以上、中国がアメリカからふんだくっていくのは許さん」という姿勢である。それと技術（ハイテク）泥棒、すなわち知的財産権（知財。ノウハウ）の侵害への怒りである。

またアメリカは、台湾問題については現状維持である。「絶対に中国には渡さん」と考えている。中国側も急に取り戻せるとは思っていない。習近平は「武力を使ってでも台湾を取り戻す」と言うだけは言う。しかし、それはあくまで口だけだ。

台湾や南沙（なんさ）諸島（スプラットリー諸島）で、小規模の軍事衝突は有り得る。それでもやはり、今の中国は内需拡大路線で国民を食わせていかなければならない。習近平は現に自分たちは貧困問題を解決しつつあるということを強くアピールしている。短い記事を紹介する。

「中国主席「貧困脱却達成」を宣言　共産党主導の国家発展誇示」

新華社電によると、中国共産党の習近平総書記（国家主席）は12月3日、中国全体が「貧困脱却の目標を達成した」と宣言した。年内の実現を目指していた。党創立から100年を迎える2021年には、長期目標である「小康社会（いくらかゆとりのある社会）の全面的達成」も宣言する。党主導による国家発展の成果を内外に誇示する狙いだ。

習氏は3日の党の会議で演説し、総書記に就任してからの8年間の取り組みで「1億人近い貧困人口が貧困からの脱却を実現し、世界が目を見張る重大な勝利を収めた」と誇った。脱貧困は、年収を最低でも日本円で約6万円相当（1日の収入が11元＝175円）に引き上げることを基準とする。

（2020年12月4日　共同通信）

中国政府は、こうした農村部の貧困脱出を、自分たち指導部の手柄のように喧伝している。だが、政府の力だけで達成したわけではない。今の中国になくてはならないIT(アイティー)、なかでもe(イー)コマースによるネット販売の力がとても大きい。eコマースでは、アリババ、京東(ジンドン)(JD)などが中心となってマーケットを拡大し続けている。

中国の山奥の辺境地帯のこれまで極貧層であった農村部が、ネット販売のおかげで急激に豊かになりつつある。ここには目を見張(みは)るものがある。

「中国のネット販売を支える農村「淘宝村」年間引総額は16兆円を突破」

中国最大の通販サイト「淘宝(タオバオ)」でネットショップを運営している農村、通称「淘宝村(タオバオソン)」が中国全土で5000村を超えた。1年間の取引総額は1兆元(約16兆円)を突破した。IT大手の阿里巴巴集団(アリババグループ)によって生み出された淘宝村は、各地の農村に恩恵をもたらしつつ、中国経済にとって新しい成長ツールとなっている。

河北省粛寧(スーニン)県で、9月26日に開かれた「第8回中国淘宝村サミット」で、アリババ

ネット通販の巨人アマゾンは、株価だけ。先進国だけだ。世界一大きい中国市場と第3世界で中国企業が台頭する

世界eコマース企業時価総額トップ10（2020年8月時点）

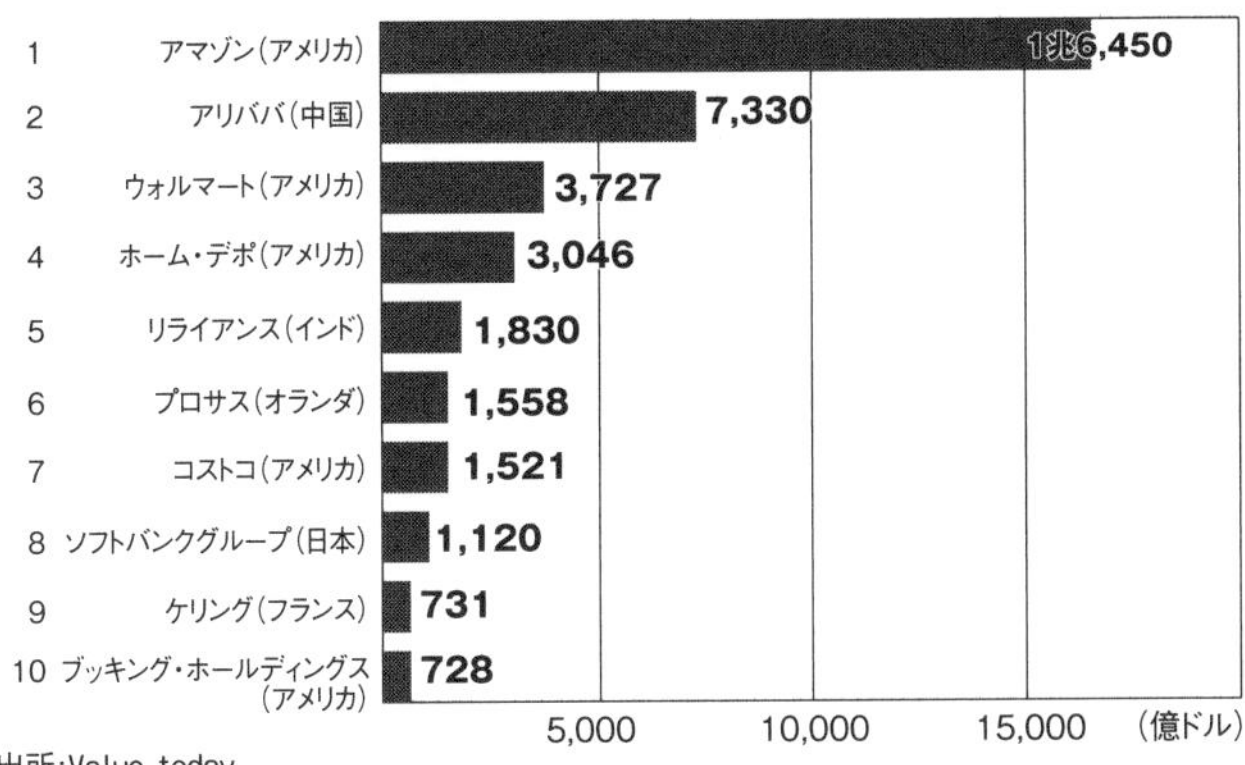

出所:Value.today

eコマース企業の中国市場シェアトップ10（2018年6月時点）

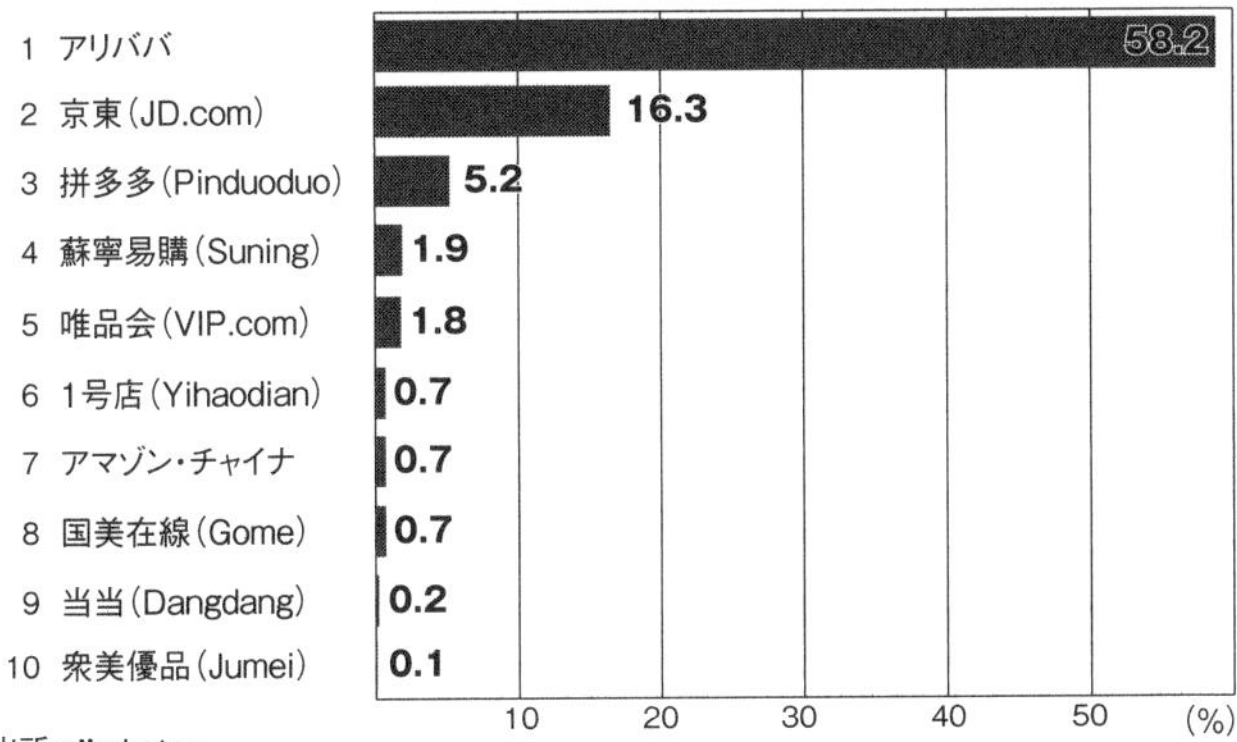

出所:eMarketer

の社長兼ＣＥＯの張勇氏は、「中国で一番基礎的な自治体の村や鎮（町）およびその地域の企業が、中国で最も活発な経済細胞となっている」と語った。

このサミットで公表された、「２０２０中国淘宝村研究レポート」によると、今年6月までに、全国の村の約１％にあたる５４２５の淘宝村が誕生し、８２８万人を雇用し、出稼ぎ農民が、地元に戻り創業する地盤になっている。年間取引総額が1億元（約16億円）を超える淘宝村は７４５を数え、広州市大源村は１００億元（約１６００億円）に達した。「地域おこし」の経済規模を超え、淘宝村が大規模産業に発展したことを示している。

また、淘宝村は伝統的な労働集約型産業から技術集約型産業に移行しつつあり、複数の淘宝村が相互に協力する新たな発展局面も見られる。

淘宝村は自然発生的に広まったのではなく、アリババが、農村でデジタル経済を推進したことが成長の背景にある。

米国「フォーブス」誌は、「中国の農村への直接投資」により、アリババを3年連続で「世界を変える企業」と評価した。アリババは中国農村の変革者となり、世界的に貧困を解消する「中国式モデル」の提唱者となった。

アリババは2014年から、農村の特産品をオンラインで都市に販売する戦略を打ち立て、巨額の投資を続けた。2017年には、「1ムー（約667平方メートル）あたり1000ドルを産出する」計画を発表し、この3年間で5400億元（約8兆6000億円）の農産物の販売に貢献してきた。

今年に入り新型コロナウイルス感染症が拡大した期間も、淘宝村は生産・販売活動を保ち、国内経済と農村経済を下支えした。

（2020年10月12日　CNS）

こうした、貧困対策を強く打ち出したのは、胡錦濤政権（2002〜12年）だった。胡錦濤は、都市部と比べて貧困がヒドかった農村部の成長に力を入れた。農民の低収入、農村の経済発展の立ち遅れ、農業の産業化の停滞という、いわゆる「三農問題」の解決に取り組んだ。そのため、農民税（農民税）を廃止した。このことで、農民にものすごく感謝された。

それでも体力と根性ある人間たちは、農民工（民工）となって都市に流出して、なんとか職にありついて、必死で這い上がった。やがて、都市戸籍と農村戸籍の区別は、形上は撤廃された。

私が中国で聞いた話では、今でも北京や上海の市民は、農村出身者を差別する。この差別は骨がらみのすごいものであって、ちょっとくらいの制度改革では解決しない。隠れた階級差別だ。

ただし今では、特権的都市市民がブツブツと「田舎者が成り上がって、私たちのほうが貧しくなった」と言っている。

鄧小平が埋め込んだ経済成長の起爆剤

この40年の中国の成長を作ったのは鄧小平である。鄧小平がどれだけ偉大だったかは、中国人にしかわからない。私はこのことに気づいて、自分の本で鄧小平を徹底的に褒めた。

鄧小平（1904～97）は、1978年12月、日中平和友好条約（国交回復）の批准書の交換のために来日した（74歳）。

その時、天皇とも会談をした。会談で昭和天皇が、「中国に対して日本は大変な迷惑をおかけしました」と言って謝罪した。これを聞いた鄧小平は、全身に電流が流れるように感じたと言う。そして日本の新幹線に乗った際、あまりにも速いので「背中をムチで打たれるようだ」と感想を漏らした。

この翌年（１９７９年）、鄧小平は訪米して、中国の自由化を世界に示した。ジミー・カーター大統領よりも先にデイヴィッド・ロックフェラー（実質的な世界皇帝）に会い、「どんどん中国に投資するよう」頼んだのである。その隣にいたのが、ヘンリー・キッシンジャーであった。

そのあとすぐに中国に帰ると、鄧小平は人民解放軍にヴェトナムに北から攻め込む指示を出した。この中越戦争で中国兵は突撃を繰り返し、10万人以上死んだ。ヴェトナム軍は、米軍が置いていった戦闘機や戦車で武装していたから、非常に強かった。結局、ヴェトナムからは、丁度1カ月で撤退して、戦争を終わらせた。

中越戦争は、国際社会に対して、表向きはヴェトナム軍のカンボジア侵攻に対する懲罰ということになっていた。だが鄧小平は、毛沢東主義に凝り固まっている軍人たちに、強い反省を促すために戦争を行ったのである。当時の司令官たちは、軍隊を全く近代化せず8大軍区で割拠して、まるで昔の軍閥（ぐんばつ）（ミリタリー・バロン）のようだった。共産党の言うことも聞かないで威張っていた、この人民解放軍の将軍たちを、鄧小平は厳しく叱って粛清し、軍の近代化を進めたのである。

前述のように、鄧小平は資本主義経済を導入することで、中国を急激に豊かにした。民衆の自然の欲望と「もう餓死寸前の貧乏は嫌だ」という切実な要求に指導者として、真正面から応えたのである。

だが、改革開放スタートから10年後の1989年に、「六四」（6月4日）と呼ばれる天安門事件が起きた。これで中国の改革開放路線は一時頓挫する。このとき深く反省した鄧小平は、軍トップ（党中央軍事委員会主席）を辞め、江沢民にその座を譲った。自身はの副首相という肩書きだけ残した。

当時、鄧小平が抜てきした胡耀邦（こようほう）（1915〜1989）と趙紫陽（ちょうしよう）（1919〜2005）という2人の指導者がいた。彼らは立派な政治家で、人民を大事にするという共産主義の理想を、そのまま実現しようとした善人だった。胡耀邦が共産党青年団（共青団（きょうせいだん））という、今の李克強首相が率いる派閥を作ったのだ。

胡耀邦の思想は、西洋型の市場経済と自由主義を徹底して導入せよ、だった。しかし胡耀邦と後任者の趙紫陽の善人主義の政治では、中国の巨大な政治秩序を守ることはできな

“世界皇帝”ロックフェラーとキッシンジャーが、鄧小平のために中国の復興と大成長の資金提供と人材教育など、あらゆる援助を行った

1982年に会談している様子。キッシンジャーの配慮と助言で中国は成長のエンジンを得た多くのアメリカ大企業が中国市場に進出していった。歴史はこのように作られる。

かった。

「今すぐに民主化、民主体制（デモクラシー）と言論の自由をよこせ」と騒いだ学生たちが、胡耀邦が死んだ直後、天安門に集まって騒ぎ始めた。それが天安門事件、六四である。

メディアでは、多数の学生が死亡したと報じられた。しかし真実は、天安門で死んだ200人のなかに、大学生や民主化運動を主導した人は一人も入っていない。射殺された者のほとんどは、天安門の東西から突入してきた人民解放軍とぶつかって死んだ庶民、特に10代の少年たちだった。人民解放軍も数十人死んだ。これが天安門事件の武力弾圧の実態である。

天安門広場のテントの中にいて、人民解放軍の装甲車に轢かれて死んだ者が2人いたようだが、それが誰なのか、今も分からない。民主化運動を率いた北京大学を中心とする学生たちは、整然と引いていった。

のちにノーベル平和賞を貰う劉暁波氏（1955～2017）は当時、北京師範大学の講師をしており、運動のリーダーだった。彼が人民解放軍の指揮官と話をして誰も殺されないようにして、その場から学生たちを撤退させた。学生たちは、自分たちの学寮に戻った。そして、次々と逮捕された。

1979年の中越戦争は鄧小平による、毛沢東主義に凝り固まった軍の大リストラと現代化が真の目的

中越戦争でヴェトナム軍の捕虜となった中国兵。戦場では多くの中国兵が戦死、また捕虜となった。鄧小平の計画どおりであった。これで、鄧小平は中央軍事委員会主席として完全に人民解放軍を支配した。

アメリカのＣＩＡとつながっていたウーアルカイシや柴玲（ツァイリン）ら20人くらいのリーダーたちは、ＣＩＡの手引きで香港経由でアメリカに脱出した。彼らは外国に逃げると、その後、中国社会に影響を与えることはなかった。

李克強もその時、北京大学の学生であったが、同級生たちがデモに参加するのを見ながら、じっと我慢していた。だから李克強は、中国が民主政治体制を導入しないといけないことを、死ぬほど分かっている。それが、今の共青団に所属する人たちの信念だ。

だが先ほども説明したように、胡耀邦と趙紫陽というきれいごとしかできない政治家では、中国を治めることはできない。そこで、趙紫陽のあと首相になったワルの李鵬（リーポン）が、学生や人民を弾圧するのを、鄧小平は仕方なく許可した。そうしないと、収まりがつかなかったからである。

このとき鄧小平は善人政治を諦（あきら）めた。自分も3回、毛沢東派に殺されかけたが、生き延びている。

天皇の歴史的な訪中は、天安門事件の悪い中国イメージを、世界に向かって払しょくするのに大きく役立った

1992年10月24日、天皇（現・上皇）が江沢民と会見した。天皇は北京だけでなく西安や上海も訪問し、江沢民の出身校、上海交通大学も視察した。

香港民主化運動は根本的に間違っている

天安門事件後、松下電器をはじめとする日本の大企業は、混乱の中でも中国から撤退しなかった。裏から、安全だという情報があったからだ。中国政府は、そうした日本企業に恩義を感じた。さらに、当時の天皇（現・上皇）が1992年10月23日、中国を訪問した。この天皇訪中が、中国が世界に再び認められる大きな突破口となった。当時、外交部長（外相）を務めていた銭其琛（せんきしん）がそう語っていた。

この1989年の天安門事件より前、80年代前半に、鄧小平はイギリスのサッチャー首相と香港返還交渉を行った。

鄧小平はサッチャーに対して、「もし香港を返さなければ、軍事力を使って取り戻す」と言った。そのとき、サッチャーの膝はブルブル震えた。香港は北の深圳（しんせん）のほうから水を供給されないと、自力ではやっていけないということもサッチャーは分かっていた。そして1984年12月9日に、「英中共同宣言」が発表された。その13年後の1997年7月1日に中国に返還された。

香港返還は、1841年からのアヘン戦争でイギリスに奪われた領土が中国に戻るということである。香港は中国の領土である

1984年12月、北京の人民大会堂で香港返還交渉の詰めの会談をする鄧小平とサッチャー。鄧が「返さなければ軍隊を出す」発言でサッチャーは膝が震えた。

私の考えでは、香港は明らかに中国の領土である。だから今、香港で自由を求めて闘っているとされる学生たちを私は一切評価しないし、支持もしない。彼らの香港独立論（港独）を認めない。彼らの背後にはアメリカのＣＩＡや、イギリスの諜報機関であるＭＩ６がいる。中国は１８０年前のアヘン戦争で奪われた領土を取り返すという行動に出ているのだから、世界政治（国際社会）においては、正当な行動をとっているということにすぎない。

鄧小平は、１９９２年に再び深圳にやってきて、「さらに改革開放のスピードを上げよ」と演説した。これを「南巡講話」という。これは15世紀初に明の永楽帝が広東に来て、鄭和の大艦隊を引見した。永楽帝は、アジア諸国からアラビア海、アフリカ沿岸のマダガスカルまで家臣の鄭和を派遣した。大きな平和、すなわち大和、すなわち大きな戦争をしない状態を作った。このときの永楽帝の南巡になぞらえたものだ。

この永楽帝の南巡からわずか１００年後の１５４０年代には、西洋人が船と近代技術の力で東アジアにまでやってきた。１５４３年に種子島に鉄砲が持ち込まれた。その６年後の１５４９年に、イエズス会のナンバー２だったフランシスコ・ザビエルが鹿児島に上陸し、キリスト教の布教を始めた。

なお、この１５４３年の出来事は日本では「鉄砲伝来」と言われるが、世界史では「ディスカバー・ジャパン」、すなわち「日本発見」である。

このとき日本が初めて世界史に登場した。２回目は日露戦争の勝利。そして。もう一つは第２次世界大戦だ。つまり、この３回しか日本は世界史には大きくは登場していないのである。覚えておきなさい。

今の中国を規定しているボナパルティズム

私の研究では、このあと鄧小平は、１９９３年に習近平を呼びつけている。習近平は私と同じ１９５３年生まれだから、その時40歳である。

鄧小平は習近平に対して、「お前を次の次の指導者にする。だから、しっかり我慢することを学べ。指導者に一番大事なのは我慢に我慢である。お前を直接育てるのは、胡錦濤と温家宝である。彼らから国家運営の知恵と技術を学べ」と伝えた。このあと、鄧小平は１９９７年、92歳で亡くなった。

天安門事件の3年後の1992年から、鄧小平は国の舵取りを、元々汚れた政治家である上海閥の江沢民たちに任せた。習近平は、当時、江沢民派の大ワルの曽慶紅が育てた若手の政治家ということになっていた。習近平は、汚れた江沢民派だったのである。

習近平は、30代から厦門市と福建省などに長いこといた。厦門事件という密輸事件を起こした江沢民派を守るために赴任していた。厦門は台湾の対岸にある町だから、おそらくそれは、アメリカとの秘密貿易だったのだろう。


政治は2つの勢力に分かれて争い合うものだ。指導者になる者は、その対立する両方とつながっていなければならない。これを「ボナパルティズム」という。ナポレオン・ボナパルトから生まれた言葉だ。

1789年のフランス革命のあと、革命の理想に狂った貴族たちが、互いに殺し合った。その混乱の中からフランス国を治めるために、軍人のナポレオンが登場した（1799年）。ナポレオンは、保守的である地方の農民たちと、都市で暴れていた貴族たちとの間の対立をうまく調整した。そして1804年、ヨーロッパ皇帝となって君臨した。

このように、対立するふたつの勢力の調和を図って、その上に立つ技術がボナパルティ

福建省時代の習近平。このあと1993年に鄧小平に密かに呼び出され、次の次のリーダーに指名された

1989年夏、福建省の研究所を訪れた際の習近平。当時36歳。江沢民の上海閥に属して「悪(あく)こそが統治の原理」の側にいた。徐々に上海閥から離れた。

ズムである。ナポレオンは一代限りだったが、本当に実質でヨーロッパ皇帝になった男である。

その次に現れた、ナポレオンと血縁がないのにナポレオン3世を名乗り、かつルイ王朝の血筋でもあると称した、厚かましいナポレオン3世（ルイ・ナポレオン）という男の統治のことも指す。ナポレオン3世は1871年、普仏（ふふつ）戦争でプロシア（大ドイツ帝国）に負けて失脚した。

このボナパルティズムの考えで、今の習近平政治は成立している。習近平の政治権力は、対立する2つの派閥の上に立つことから始まっている。習近平は、前述したとおり、汚れた江沢民率いる上海閥から出てきた男である。そのうえで、自由と民主制度を追い求める共青団の李克強たちとのバランスを取りながら、政権を運営している。

つまり、鄧小平がまんまと江沢民たちを大きく騙したのである。「習近平ならばいいだろう。オレたちの子分だから」と江沢民たちを納得させた。ところが、権力を握った習近平は（2012年10月）、上海閥を追い落とすほうへと動いたのだ。江沢民は「しまった。嵌（は）められた」と思ったが、その時はもう遅かった。

2012年の18大で習近平が国家主席になる直前に起きたのが、重慶市の党委書記だった薄熙来によるクーデター未遂だった。大連市党委書記や遼寧省長を務めていた時、薄熙来は毛沢東主義の復権を煽った。彼とつながりがあったイギリス情報部(MI6)の男を2011年、薄熙来の妻が殺害した。その事件の究明過程で薄熙来によるクーデター計画が露見したのだ。私は2013年、重慶、そして四川省の成都に行ったので、事件直後の様子がよく見えた。

ここで言えるのは、共青団のような民衆を大事にするという社会主義の理想を追い求める人たちは、現実政治を動かす力はないということだ。そのことを厳しく激しく見抜いた鄧小平は、ある程度汚れている政治でなければ、そして汚れた経済運営でなければ、初期の資本主義の勃興による国家の大成長は実現できないと実感した。だから、江沢民に政治を任せたのだ。

貧しい女たちは自分の体しか資本がないから、それを資本にして外国に出て行って売春婦になってでも、這い上がれということになった。そして、500万円くらい稼いで帰ってくれれば、30年前の当時は立派な家を1軒建てることができた。このようにして199

0年代、中国は腐敗の限りを尽くした。しかし、それが今の中国の巨大な成長の基礎でもあるのだ。

近年、ＴｉｋＴｏｋという中国の動画アプリが騒がれた。このＴｉｋＴｏｋに登場する身長185センチくらいの女たちは、今の中国では実は風俗嬢と呼ばれていて、頭脳と才能と力のある男たちにあてがわれる女として、育てられているのである。この冷酷な人間社会の現実を、中国共産党は否定していない。

大きな蛇のなかでうごめく小さな蛇たち

第2章で説明したとおり、剰余価値（サープラスヴァリュー）（付加価値（アッデドヴァリュー））を生み出すのは能力がある人たちであって、普通の労働者（従業員、サラリーマン）は、これを生み出さないと冷酷に知ったからだ。だから、今の共産主義に対して、原理的な批判をするならば、反共右翼たちももっと勉強しなければいけない。

「中国の特色ある社会主義」は、人間の能力差を公然と認めている。人間は能力において

ゲームの世界も中国がリードする。ゲーム人間たちは人類のThe Last Man「最後の人々」である

国別ゲーム市場規模トップ10　（2019年）

順位	国	ゲーム市場規模	インターネット普及率	ゲーム人口	モバイルゲームの年間平均消費額	英語能力指数
1	中国	365.4億ドル	59.3%	6.4億人	14.7ドル	53.44（中級）
2	アメリカ	365億ドル	86.5%	2.1億人	30.0ドル	100（ネイティブ）
3	日本	186.8億ドル	93.2%	8000万人	51.7ドル	51.51（低い）
4	韓国	61.9億ドル	86.5%	4000万人	113.5ドル	55.04（中級）
5	ドイツ	60億ドル	94.5%	6000万人	7.2ドル	63.77（とても高い）
6	イギリス	56億ドル	90.8%	5000万人	18.3ドル	100（ネイティブ）
7	フランス	48.1億ドル	92.6%	5000万人	18.9ドル	57.25（中級）
8	カナダ	27億ドル	91.6%	3000万人	8.2ドル	100（ネイティブ）
9	スペイン	25.8億ドル	91.0%	4000万人	6.5ドル	55.46（中級）
10	イタリア	23.6億ドル	90.5%	5000万人	22.3ドル	55.31（中級）

出所:allcorrect

企業別ゲーム市場シェアトップ10　（2019年第4四半期）

順位	企業	国	売上
1	テンセント	中国	52.3億ドル
2	ソニー	日本	38.8億ドル
3	アップル	アメリカ	28.9億ドル
4	マイクロソフト	アメリカ	28.3億ドル
5	任天堂	日本	22.9億ドル
6	グーグル	アメリカ	18.8億ドル
7	アクティビジョン・ブリザード	アメリカ	17.5億ドル
8	ネットイース（網易）	中国	16.7億ドル
9	エレクトロニック・アーツ	アメリカ	15.9億ドル
10	テイクツー・インタラクティブ	アメリカ	9.3億ドル

平等ではない。知力、学力だけでなく、身体的特徴、そして自分が生まれた家が金持ちか貧乏であるかという事実も、ここに含まれる。

「選挙権は1人1票」のように、法的な権利は平等である。しかし、能力は平等ではないという事実を中国は認めたのだ。

鄧小平が言ったとおり、「白い猫でも黒い猫でも、ネズミを捕る猫は偉い」（本当は白ではなく黄色い猫と言っていたらしい）のようにだ。つまり、「能力のある人間、生産力のある人間、お金儲けができる人間が偉いんだ。能力がない人は、自分の近くにいる能力のある人に食わせてもらえ」「その人の下で働いて、給料をもらえ」という考え方で、今の中国は成り立っている。この能力のある人というのが経営者、資本家、キャピタリストと呼ばれる人たちである。

1980年代には「万元戸（まんげんこ）」という農民の金持ち層が現れた。農民のなかでも能力、知力、体力がある人が先に豊かになっていく。そういう人は周りの農民数百人を使って、大きな農業関係の企業を育てていった。

中国の国営企業は、80年代に絶望的なまでに赤字を抱えて、生産活動ができない悲惨な状態だった。

そのほとんど倒産している国有企業の工場や建物のなかで、能力のある人物が、勝手に小さな工場を作って生産活動を始めた。簡単に言えば、大きな蛇のなかで小さな蛇が動いているような気持ち悪い状況だ。

だが、そうした鋭い能力のある人のところに行けば仕事があるということで、周りの人がそこで働くようになった。

これが中国版の「オリガルヒ」で、こうした工場が、中国の民間企業群へと勢いよく成長していった。オリガルヒとはソ連崩壊後（1991年12月）に現れた、新興資本家階級に成り上がったロシア人たちのことだ。

ファーウェイの会長である任正非（じんせいひ）も、まさしくそういう人である。能力のある任正非の周りに他の人たちが集まって、食べさせてもらうことでファーウェイは伸びていった。分かりやすく言うと、日本が敗戦で焼け野原になった時、広島の呉の戦艦大和を作っていたようなドックでもそうだが、日本中にあったかつての軍需施設で、人々はリヤカーや鍋、自転車などを一所懸命に作り出した。

当時、そうした商品を必要とした人たちが、たくさんいた。これが需要（デマンド）である。

このように、それらを欲しがる人々の需要があるからこそ、供給（サプライ）が生まれるのだ。供給が先ではない。これがケインズ経済の真髄である。

2024年から中国は民主体制に移っていく

トランプが再選されてアメリカ政治の楫取りをしていくにしても、アメリカ経済が大変であるのは変わりがない。白人中産層に仕事がないので、失業給付金を配り続けるしかないのだ。これを、私はジャブジャブマネー（QE。緩和マネー）と書き続けている。

この本の「まえがき」と第1章で、アメリカの大統領選挙で急激な世界変動が起きていることを述べた。世界政治に大きな動揺が起きた。世界覇権国の牙城、本家本丸で激しい闘いが起きている。

中心のお城がボウボウと燃えているから、世界中が影響を受けるに決まっている。トランプ大統領は、世界覇権を手放したいと考えている。これも、私がずっと書き続けてきたことだ。私の予測では、2024年に世界大恐慌が起きて、この時に覇権がアメリカから

習近平と李克強は決して不仲ではない。そして計画どおり分かれて民主制度へと向かう

李克強たち共青団(きょうせいだん)は、中国民主党を創立して、共産党から分裂する。そして、2つの党が普通選挙で政権を取り合うデモクラシーへと向かう。これが2027年に実現する。国民からのウケはいい。

中国に移る。そのようにずっと予測してきた。

では、この本のタイトルである『アメリカ争乱に動揺しながらも 中国の世界支配は進む』とはどういうことか。今の一党独裁体制では、世界を支配することは到底できない。それは習近平も分かっている。では、どうするのか。中国は、民主政治に楫を切るしかないのだ。

そし2024年に、中国がデモクラシー体制への移行を実行に移す。今の李克強首相を中心とする勢力は中国共産党から出て行って、中国民主党を作るだろう。そして野党となって、下野して、政治権力を手放して、貧乏暮らしでもいいから、自分たちの国民政党を作るだろう。

それから5年くらいは政権を取れない。しかし、李克強たちは中国の民衆、庶民思いであるから、普通選挙が導入されれば、必ず政権を取る。

そのようにして中国の政治体制の穏やかな、大動乱抜きでのデモクラシー体制への移行が徐々に完成するのである。

その前の2022年10月に、中国では第20回党大会（20大。5年に一度である）が開かれる。ここで習近平は、さらに3期目をやるとほぼ決まっている。そして、2027年ま

何があろうとも、中国の未来への設計図は変わらない。必ず民主化する

習近平は自身への権力集中をさらに続けながら、民主政体への移行を図る。トランプ、プーチンなきあとの世界は緊張と対立が続きながら、中国が支配していくだろう。

で国家を率いる。これも決まっている。

次の指導者が誰になるかは、まだわからない。前のほうでも書いたが、中国は習近平を先頭にアメリカの動乱をじっと見ながら、それに強く影響を受ける自分たちのこれからを真剣に考えているだろう。

今の中国人は、きれいごとは言わないと決めている人々だ。それは共産主義のイデオロギーのもとで、あまりにも人間の平等と理想社会について教えられたので、死ぬほどそれが嫌いになったからである。人類の教訓のなかで、反面教師として共産主義教育のなかで生きた人間たちほど、その〝悪〟を体で知っている。

中国の国家情報部（安全部（あんぜんぶ））員や国際ビジネスに関わっている企業経営者たちが、アメリカに深く入り込んでいるのは当然のことである。中国の国家スパイたちが、この先、何をアメリカから学んで作り上げようとしているかはわからない。彼ら国家スパイたちは、先端人間であるから、そこに何かが「来るべき世界イメージ」として出現しているはずなのである。

前のほうに書いたが、アメリカのデモクラシーや自由主義や言論の自由の素晴らしさなどに対する、疑問と幻滅が中国国内で大きく出てきた。選挙制度の導入は当然である。言論や表現、出版報道の自由も当然のことだ。

しかしこれらは、憲法典に書いてある制度としての保障にすぎない。これら諸自由権は水や空気があるように当然のものとして、永遠の無前提として存在し、あるいは自然の正義として存在する、ということはないのだ。

不正選挙があったのに、あれほどのインチキ、デマ、嘘八百をアメリカのメディア（テレビ、新聞、言論誌）が行った。「不正選挙などなかった」、そして「何の証拠や確証もないのに、トランプたちは意味もなく喚いている」と書き続けた。

このヨーロッパを含めた、欧米世界の報道、言論機関のやったことの無様さや浅ましさは、真に恥ずべきことである。日本もまた、これに追従して、ピタリと息を合わせた、全く同様の愚劣極まりない報道を行った。

なんと選挙の翌日の11月4日から、「バイデン政権誕生」と書き続け、それを既成の事実であるかのように報道し、バイデン政権がこれから何をするかという伝え方をした。トランプと彼を熱烈に支持するアメリカ国民は、それと激しく戦った。

中国にしてみれば、トランプ政権が続くことが中国にとっていいことだ、と中国人のほぼ全員が思っている。中国人はドナルド・トランプが好きだ。それに対してバイデンやらヒラリーやら、あるいはその後ろに隠れている恐ろしい力を持っているディープ・ステイトの勢力を嫌う。中国がディープ・ステイト（影に隠れた政府）とつながっているとは、私は思わない。

そもそも「ディープ・ステイト」とは何者なのか？

中国共産党が米大統領選挙に介入して、アメリカの政治を乗っ取ろうとして、アメリカ国家に大きな災いをもたらしたと騒ぐ人々がいる。しかし、中国にしてみれば、濡れ衣（ぎぬ）の言いがかりだ。問題のすり替えだと思っているだろう。

ただ、私が不思議に思い、よく分からないことがある。それは、P59に載せたが、11月25日に、なぜわざわざ「バイデン次期大統領を祝賀する」という新華社電の声明文を習近平が送ったかである。この裏側には、世界を大きくもっと上から支配している奇妙な力が働いているとしか考えようがない。この力の出所を「ディープ・ステイト」と呼ぶのであれば、まさしくそうであろう。

さらに12月15日に、ついにはロシアのプーチン大統領までも「アメリカの新政権と協力する用意がある」という声明文を発表した。世界的には、これでロシアのプーチン政権も、バイデン新大統領を公認したこととなった。この時のニューズ映像のプーチンの表情に、不安な陰が見て取れた。

世界政治の枠組みの中では、他国に対して、お付き合いとしての礼儀作法がある。外交用語で言う「プロトコール」（儀礼、儀式）である。プーチンはただ単に、このプロトコールに従ってアメリカの政治変動、すなわち〝政変〟を承認し、それに合わせて行動しているだけなのか。それが私も分からない。もっと大きな恐ろしい力が、上からかかっているのかもしれない。

20年ほど前から、アメリカ民衆が「ディープ・ステイト」とひそひそと言い出して、使い出した。この言葉そのもののなかに秘密がある。ディープ・ステイトは、ただ単にアメリカ国内の支配階級であるエリート層による非公式の、正式ではない権力の動かし方を指すだけではない。ディープ・ステイトは、アメリカの大統領よりも上の位置にあり、表面に出ないが、権力を裏から握っている人々である。

簡単に言うと、①軍産複合体（ミリタリー・インダストリアル・コンプレックス Military Industrial Complex）と呼ばれる、軍需産業を握っている人々。②大企業、大銀行の連合体。そして、③法曹（リーガル・ギルド）と呼ばれる裁判官を含む行政官僚、④大手メディアを牛耳る支配者たちのことである。

しかし、これらアメリカの超エリート（エスタブリッシュメント）だけにはとどまらないようだ。やはりディープ・ステイトの正体、本体、本拠地は、ヨーロッパ各国の国王、および王族である。これと大貴族たちの連合体であろう。彼らは歴史的に互いに政略結婚でつながっていて、血縁で結ばれている。

小国ながら、オランダやベルギー、そしてスウェーデンの王室の人たちは、相当悪い人たちであるらしい。スウェーデン王室は、ノーベル賞を握って国王が授与する仕組みを作っている。私は、ことさらヨーロッパの白人の王族、国王たちを毛嫌いするわけではないが、ヨーロッパの頭のいい人たちが、そう言っている。

スウェーデン王家は、ディープ・ステイトの一員。ノーベル賞を握って世界を洗脳した

現在のスウェーデン王家の初代ベルナドッテ（右）。ベルナドッテはナポレオンの将軍のひとりのフランス人だ。王家の王女と結婚して王になった。そしてナポレオンを裏切った。と、現在の国王カール・グスタフ16世（左）。コロナ対策で集団免疫を目指した現在の政権を公然と批判した。国民に嫌われている。

スウェーデン王室はベルナドッテ家である。このベルナドッテ王朝を築いたジャン＝バティスト・ベルナドッテという男は、ナポレオン配下の将軍のひとりであった。フランス人である。

ナポレオンが強かった時期にスウェーデンを占領し、このベルナドッテがスウェーデンの王女と結婚した。ところがナポレオンが負け始めると、ベルナドッテは裏切って、スウェーデン国王としてナポレオンを攻める側になった（1812年）。そういう悪い男である。ヨーロッパ人たちに評判が悪い。

だが、スウェーデン王国は、それより300年前は立派な王家だった。マルチン・ルターの宗教改革（1517年）のあと、プロテスタント軍を率いて、勇猛果敢にローマン・カソリックや神聖ローマ帝国軍と戦って戦死した、グスタフ・アドルフ2世という国王が有名だ（1632年）。

しかし、現在のスウェーデン国王であるカール・グスタフ16世らは、単に反動的なだけで「ヒドい」のひと言である。国民にも嫌われている。ノーベル賞という悪魔の制度を握って、世界民衆を騙しているだけだ。

同じように、スペインの王家もヒドい。スペイン国民は今、王制を廃止したくてたまらない。フアン・カルロス1世前国王が悪評の的である。フランスやドイツでは、国王と貴族制度は廃止されているが、それでも昔の貴族たちの存在が隠然と残っている。彼らは、まさしく旧貴族として、多くの不動産を所有している。

土地貴族（ランドロード landlord）と言うと、大地主のようにしか聞こえないが、実は今のヨーロッパの大都市の不動産は、かつて貴族だった者たちが裏で手を組んで、ほとんどの商業ビルや高層住宅ビル（タワーレジデンス）を所有しているのである。

なかでもドイツ人は、金持ち層でも、不動産を賃借りしているのであって、所有はしていない。所有しているのは、陰に隠れているが、ほとんどが元の大貴族たちである。この旧王族や大貴族たちは、政治の表舞台にはほとんど出てこない。しかし、明らかに今の欧米白人世界は、彼らが隠然と支配している。

そして、その頂点にいるのは、やはりイギリス王室である。イギリスには今も貴族制度が有って、大貴族たちの連合体で国家体制が出来上がっている。

君臨するイギリスと没落するイギリス

イギリス議会のビルである建物は、「ビッグベン」と呼ばれている。だが、本当はあれはウエストミンスター寺院（大聖堂）の裏側であり、敷地がつながっている。ここで、歴代イギリス国王たちが戴冠式などを行ってきた。

議事堂に女王陛下が臨席するときは、大貴族たちが、なんと孫まで議員席を占拠して座っている。平民（コモナー）であるイギリス首相以下は、手前のほうに集まって突っ立っているだけだ。

今も、こういうみじめな国なのだ。だから私の考えでは、ディープ・ステイトの総本山で、張本人はイギリス国王・女王陛下である。

私の記憶では2015年10月、習近平がエリザベス女王と黄金の馬車に乗ってバッキンガム宮殿に入っていく様子が極めて印象的だった。中国がイギリス、特にロンドンの再開発に大きなお金を出すということで、習近平が国賓として招かれた。あのときのイギリス

中国のイギリスに対する復讐は、まだまだ終わらない

2015年10月20日、イギリス王室の“黄金の馬車”に乗り、歓迎会へと向かう習近平とエリザベス女王。違いに口もききたくない。

女王のイヤそうな顔は、今でも特筆に値する。

イギリスで現在も建設中の原子力発電所のヒンクリーポイントと、サイズウェル原発、ブラッドウェル原発の完成を中国が請け負った。中国製の性能のいい「華龍1号」を導入して、作り直そうとしている。

日本の日立製作所が、北ウェールズのウィルファ原発の新設を進めていたが、2019年1月、途中で放り投げた。日立としては、イギリス側がお金をちゃんと払ってくれないから、仕方なく建設を途中でやめた。その直後に安倍首相が、コソコソとイヤそうな顔をしてロンドンに行き、当時のテレーザ・メイ首相に文句を言っている。

メイ首相は、「お金を出せないんだから仕方ないでしょ」という顔をしていた。ほとんどニューズにならなかった。

中国には、アヘン戦争の時以来のイギリスに対する深い憎しみがある。アヘン戦争（1841～1842）で、イギリスが大清帝国を叩き潰した。そのときから、180年に及ぶ中国の苦難が始まった。

だから中国にしてみれば、その一番あとの日本軍による中国侵略よりも、イギリス（大英帝国）による中国の侵略と破壊が最大の怒りの対象である。欧米列強による領土割譲（かつじょう）

や日本の中国侵略は、アヘン戦争の後に続いて起きたことである。もっと大きな歴史のものの見方をすれば、日本が中国侵略をしたのは、イギリスがすべて仕組んでやらせたことである。

日本という新興国の軍事力で、中国に侵略させたのはイギリスの計略であった。二度の世界大戦もイギリスとアメリカが仕組んで、日本を戦争に突入させたのである。私の理論では、昭和天皇が世界の大きな悪巧みを理解せずに、まんまと英米の策略に嵌まって戦争をさせられたのである、昭和天皇以下、大きく騙されて嵌められたのだ。

私の考えは、「日本は最高指導者はじめ、皆が騙された理論」である。これが一番正しいと思う。あれこれの戦争責任論は、「最初に騙された」から解き明かさなければならない。私の理論は「バカだったから騙された理論」である。

私たち日本人が、ここまで到達すればそれでいい。日本人がもっと賢くなって、もう二度と騙されないと誓うことによって、新しい時代を迎えることができる。これ以上のことは、人間にはできない。

だから、「中国が攻めてくるから、国を守るために戦わなければならない」という考えは、それ自体がすでに大きな策略に嵌まっていて騙されているのである。私は、ずっとこのように唱えてきた。すなわち「アジア人どうし戦わず」である。

中国はディープ・ステイトを突き破って新時代を作る

巨大な発展を遂げた中国は、毛沢東時代の地獄の、餓死寸前の、ド貧乏生活から脱出することができた。１９７９年から改革開放を引っ張り続けた鄧小平が、貧困から中国を救い出すために、外国からの資本（資金）を呼び込んだのである。

この40年間の中国の成長の裏側にも、きっとディープ・ステイトの力が働いているであろう。私にも、まだ分からない。

ロシアのプーチンを押さえつけるだけの力を握っている者たちの所業（しょぎょう）であるだろう。それは、ロシアがソビエト崩壊の後に再建された時に、たどった資本主義化の道のなかで、外国から持ち込まれた資金や資本が裏側に有るようだ。

今、アメリカ帝国本国の本拠地ワシントンで政治的争乱が起きている。私たちの目の前に現れ、そして気づいた得体のしれない大きな力が、まさしくディープ・ステイトである。

世界覇権(ヘジェモニー)は100年で、移ってゆく

1815	**イギリス**がナポレオンを撃破し覇権国に
↓	
1913	アメリカでFRB（連邦準備制度理事会）創設
↓	
1914	第1次世界大戦（〜1918）でヨーロッパが火の海に。イギリスに代わり**アメリカ**が覇権国に。ポンド危機でイギリス経済没落（1931）
↓	
1939	第2次世界大戦（〜1945）でアメリカの覇権が強まる
↓	
1978	鄧小平による中国の「改革開放」スタート
↓	
2020	アメリカ内乱で世界管理能力が衰退
↓	
2024	ドル大暴落と習近平による民主化でアメリカに代わり**中国**が新たな世界覇権国に

これに気づくことができただけでも、人類は進歩、発展したと言うべきだ。メディア（マスゴミ）が一斉に「バイデンで決まり」というおかしな報道をやり続けてくれたことで、かえって彼らの姿が浮き彫りになった。

ただし、私も少し打撃を受けて、これまで自分が作ってきたアメリカ、ロシア、中国の3大国の3帝会談によって維持される世界体制、という自分の理論を少し変更して、修正しなければいけなくなったかもしれない。

それでもまだ、この3人の指導者は生き残っている、この3人を中心に世界はまだ動いていく。そして、中国がさらに力をつけて、次の世界覇権国になるという大きな構図も変更はない。

だから反共右翼、反中共（中国共産党）の人たちの気持ちも分からないではないが、あと3年で中国が制度的にもデモクラシー（複数政党制、普通選挙）を実現するだろうから、もう少し我慢して見ていてほしい。この変革は、たとえ世界大恐慌の最中でも行われる。政治改革と経済変動は一致していなくても構わないと、歴史学が教えてくれている。

中国をことさらに憎んで、かつ怖がる人々が多かった10年ほど前は、あれほど見下して、バカにして「貧乏な国、貧乏な中国」と蔑んでいた。この人たちが、この5年で態度を変えた。最近は「中国が日本を占領する、乗っ取る」と言い始めた。自分たちがそれまで考えてきた中国のイメージを、自分たちでいつの間にか変更しておいて少しも不思議だとは思わないようだ。それがおかしいのだ。

自分自身のものの見方を疑う、ということも必要である。自分が周りの影響を受けて作ってきた考えそのものが、おかしかったのだという自己反省（自省）をするべきではないのか。自分の頭（考え、知能、思考、マインド）こそ疑うべきである。

ディープ・ステイトが、どんなに恐ろしい世界支配の悪魔の集団であったとしても、おそらく中国は、それを突き破って人類の新しい時代を作るだろう。

中国には中国共産党の一党独裁体制があり、自分たち自身も嫌がりながらも、政治弾圧、民族弾圧を行っている。ということは、裏表がない文明だということである。実際、私は中国人を見ていて、本当に裏表が少ない人たちだなあと思う。そう思いませんか。

ただ、その分だけ彼らが単純だということではない。きっと中国人どうしでは、駆け引きがあるだろう。イスラム教徒もあまり裏表が無いらしい。だが、無いと言っても、その世界に住めばグチャグチャの人間関係や騙し合い、長い歴史で築かれた権謀術数もあるだろう。

中国人は、過去のそうしたものを乗り越えて、中国文明はどんどん突き進んでいく。その際に、日本人は彼らによい影響を与えればいいのであって、ことさらに中国を恐れる必要はないのだ。

欧米近代白人文明の500年の繁栄が終わる

2020年から、アメリカでトランプたちが「第2次の、アメリカ独立戦争」をやっている。最初の①アメリカ独立革命戦争（インデペンデント・レヴォルーション・ウォー）は、人類史（世界史）において成功した革命である。これは、他と比べて血なまぐさくない健全で、穏やかな革命であった。

1776年、イギリス国王ジョージ3世から植民地アメリカが独立して、新生の立派な国家が誕生した。それから13年後の1789年に、②フランス革命が起きた。これは流血の悲惨な革命であった。前述したが、フランス革命の動乱を鎮めるために、ナポレオンが現れて、軍政で国を治めた。ナポレオンは、自力で1804年にヨーロッパ皇帝になった。

欧米白人文明が築き上げた美の究極が、ファッションモデルだ。彼女たちは身長185cm。中国がこれを追いかける、そして乗り越える

ヨーロッパで最高級のモデルたち。スラリとノッポであることが商業主義で、女の美の頂点である。このことに誰も逆らえない。ジョルジオ・アルマーニは172cm。

その後、1815年6月18日のワーテルローの戦いで、イギリスはナポレオンを打ち破った。この時、大英帝国（コモンウェルス）となって世界覇権国になったのである。それからちょうど100年後の1914年に、第1次世界大戦が始まった。これは、アメリカが裏から仕組んだものだ。騙されたヨーロッパは火の海になった。この時から、大英帝国とロスチャイルド財閥が衰えた。そしてアメリカがロックフェラー財閥とともに、世界覇権を握った。さらに、ほぼ100年がたって、2024年には前述の民主化した中国に覇権が移るであろう。これが副島史観である。

今度のアメリカの政治的動乱、争乱はアメリカ帝国の没落、及び覇権の喪失の明らかな始まりである。トランプ大統領は、反（はん）覇権主義であると前のほうで述べた。海外駐留のアメリカ軍をどんどん撤退させている。そのことをディープ・ステイトの連中が、激しく嫌っているということだ。なぜなら、それにより、欧米近代白人文明の500年の繁栄が終わるからである。

「TikTok」の中国の足の長い若いモデルの女たちが欧米白人文明を乗り越えてゆく

この動画だと、彼女らは身長190cmぐらいある。私たちはド肝を抜かれる。しかしどうも10cmぐらいは、特殊な映像処理で足を引き伸ばしているらしい。

あとがき

中国人の技術者(エンジニア)の劉慈欣(りゅうじきん)が書いた『三体』(早川書房、２０１９年刊)というＳＦ小説の大作がある。この本の中国語の原書は、２００８年刊である。アメリカで２０１５年に英語版が出て、すぐにヒューゴー賞を貰(もら)ったので、日本でも騒がれるようになった。大変な中身の本であるらしい。ところが、何がどう大変な大著なのかが、スケールが大き過ぎて、今の私には分からない。

「三体(さんたい)星人」という、太陽が３つ出る星から地球に移住してくる異星人を、迎え撃とうとして準備する地球人たちの話である。地球防衛軍が組織されるのだが、三体星人のほうが文明がずっと進んでいるので、とても敵(かな)わないと分かった。しかも、すでに三体星人の尖兵(せんぺい)は地球に送り込まれていて、地球のことは全て知られている。

地球防衛隊の司令官は、最後の望みを４人の地球人に託す。この４人は壁の表面を移動する面壁人間である。つまり、2次元の世界に生きている。世界中のアニメやゲームやオタクの人々が崇める聖地〝秋葉原文明〟の人間だ。

さあ、「三体」（中国人）と「2次元」（日本人）のどちらが勝つか。

私のこの本でも、第3章で量子暗号通信という超最先端の問題を扱った。よくは分からないだが、どうも中国人が欧米人を超えつつあるらしい。遠藤誉女史の論究に従った。西洋文明の物理学と数学が行きついた涯に、「3体問題」が有って、解けないらしい。それを中国人の天才たちが解きつつあるらしい。欧米白人の数学者は、AとBの「2体問題」しか解けないようだ。アリストテレス以来の西洋人が作ってきた論理学では、硬貨を宙に投げてA面かB面の2者で決めるコイン・トス coin toss しかできない。

ところが、「ジャン・ケン・ポン」、あるいは「グー・チョキ・パー」を知っている私たちアジア人は、3体問題を解けるらしいのだ。この大発見は私がした。小説『三体』はきっと、そのことを予言している、と私は思う。ある日、空に太陽が3つ出ていることに気づいて驚くという体験を、私は自分の幻視（妄想）実験で拗くやってみた。しかし、あまりうまく行かない。

本書は、私が、アメリカ大統領選挙の大規模不正（マッシヴ・ヴォウター・フロード）との戦いで、トランプ再選を目指す争乱で、年末の2カ月をほぼ狂乱状態で生きたので、この本を全く書く気が起こらず、手がつかず、担当編集者の大森勇輝氏に多大なご迷惑をおかけした。だから、本書は大森氏の執念の、老人（私）介護の本となった。散々な目に遭わせて誠に申し訳ない。それでも出来上がったので、記して深く感謝します。

2020年末

副島隆彦

ホームページ「副島隆彦の学問道場」http://www.snsi.jp/

ここで私は前途のある、優秀だが貧しい若者たちを育てています。

会員になって、ご支援ください。

著者略歴

副島隆彦（そえじま・たかひこ）

1953年福岡市生まれ。早稲田大学法学部卒業。外資系銀行員、予備校講師、常葉学園大学教授などを経て、政治思想、法制度論、経済分析、社会時評などの分野で、評論家として活動。副島国家戦略研究所（SNSI）を主宰し、日本初の民間人国家戦略家として、巨大な真実を冷酷に暴く研究、執筆、講演活動を精力的に行っている。

『全体主義の中国がアメリカを打ち倒す』『副島隆彦の歴史再発掘』『今の巨大中国は日本が作った』『世界権力者図鑑2018』（以上、ビジネス社）『今、アメリカで起きている本当のこと』（ベンジャミン・フルフォード氏との共著、秀和システム）、『ウイルスが変えた世界の構造』（佐藤優氏との共著、日本文芸社）、『金とドルは光芒を放ち 決戦の場へ』（祥伝社）など著書多数。
●ホームページ「副島隆彦の学問道場」http://www.snsi.jp/

写真協力：共同通信社、時事通信社、アマナイメージズ

**アメリカ争乱に動揺しながらも
中国の世界支配は進む**

2021年2月1日　第1版発行

著　者　副島隆彦
発行人　唐津 隆
発行所　株式会社ビジネス社
〒162-0805　東京都新宿区矢来町114番地　神楽坂高橋ビル5階
電話　03(5227)1602（代表）
FAX　03(5227)1603
http://www.business-sha.co.jp

印刷・製本　株式会社光邦
カバーデザイン　大谷昌稔
本文組版　茂呂田剛（エムアンドケイ）
営業担当　山口健志
編集担当　大森勇輝

ISBN978-4-8284-2243-5

副島隆彦の「中国研究」

靖国問題と中国包囲網

副島隆彦

危険な軍事衝突に日本が追い込まれる

●世界が靖国参拝を許さない理由
●財界は中国との関係修復を望んでいる
●権貴経済という腐敗
●中国の高度成長は終わりに近づいている
●香港・深圳で目撃した大きな資金の流れ
●世界の大きな富の力は東アジアに向かう

四六ハードカバー　定価：本体1600円＋税